순임씨의 이야기

저자 **황순임**

창조와지식

추 천 사

황순임은 나의 장모님이시다. 장모님 세대는 일제 강점기, 6.25동란을 겪으시며 어려운 시대에 삶을 살아내셨고, 여성들의 교육권은 뒤로 밀릴 수밖에 없는 시대에 사셔서 초등학교만을 졸업하셨지만, 책 읽기를 통한 글쓰기는 상당한 수준을 보이신다. 정규교육은 짧았지만 책 읽기 등 소위 문학에 심취하시고, 너무 즐기신다.

우리 집에 오시거나 처가 집에 갈 때 보면 늘 손에 책을 들고 계신다. 사람 만나는 것보다 책 읽는 것이 더 즐겁다고 하신다. 그래서인지 슬하에 2남 1녀를 두셨는데 큰아들과 셋째인 큰딸은 중등교사로 키우셨고, 둘째 아들은 소방공무원으로 키우셨다. 사위인 나는 명색이 대학교수지만 나보다도 책을 더 많이 읽으시며, 더 박식하시다. 늦은 나이인 80대에 시를 배워 등단하시고, 시집 두 권을 내셨다. 문학소녀의 꿈을 놓지 않으시고 이번에 에세이집을 또 내셨다.

가끔 집사람이 장모님의 재능을 물려 받았으면 좋겠다는 생각을 해본다. 총명함은 많이 닮았지만 안 닮은 부분도 많아서 안타까울 때가 많다.

이 책은 87세 황순임의 진솔한 인생 기록이며 시대의 이야기이다. 이 책을 통해 치열한 그 시대를 투영해 볼 수 있는 거울이기도 하다.

격변의 시대의 고통과 삶의 애틋함을 여기 그의 담담한 이야기를 통해서 공감해 보기를 기대한다.

동원대학 호텔관광학과교수 (현)

서울특별시 송파구
지속가능발전위원회 공동위원장 (현)

사)한국마을관광진흥원 이사장 (전)

수자원환경산업진흥 사장 (전)

서울관광재단 비상임이사 (전)

서정태

차례

1장 유년 시절

2장 나의 선택

3장 서울에서의 추억

4장 애국의 개념

5장 인연

6장 코로나 19, 폭우 태풍

1장 유년 시절

1 유년 시절

경북 고령군 쌍림면 용동 1리에 백석 군 황창봉[황의성]과 경주 김씨 김대현 사이에 7남매 위로 아들 3형제 중 3번째가 저의 아버지시고 아래로 고모님이 4분으로 부족함 없이 다복한 집안이었다.

백석군 황 창봉 집 살림이 큰아들 사돈댁 빚보증을 하여 주어 고리채로 하루아침에 파산하여 20여 명의 대가족이 뿔뿔이 헤어지게 되었다.

저의 아버지는 결혼한 지 3개월 된 어머니를 친정으로 보내고 일본으로 밀항하여 자수성가하신 분이시다

여주 이씨 원 종손 종가에는 5대까지 딸이 없는 아들만 둔 종갓집에 종손으로 태어나신 어머니가 저를 두었으니 외 증조부모님과 외조부모님과 세 분의 외삼촌 금지옥엽 귀한 외손녀로 사랑받으며 외가에서 태어나 내가 세 살이 되어 아버지는 우리 모녀를 일본으로 불러 일본 오모다 시에서 우리 세 가족은 탄광촌에서 살았다.

아버지는 탄광에서 탄광이 무너지지 않게 버팀목을 세우며 인부들이 수월하게 일을 할 수 있게 보수를 하여 주며 탄광이 무너지면 보수공사를 하는 일을 하여 탄광 사장의 신임도 얻어 빠른 시일에 성공을 하신 분이다.

근면하고 성실한 성품에 술은 입에 되지 못하신 분으로 무엇이던 한 번 보면 만들어 내는 손재주가 있어 탄광이 무너지면 버팀목을 세우고 더 이상 무너지지 않게끔 보수공사를 하는 일을 하며 탄광 사고가 있으면 불려 다니는 일을 하니 부족함 없는 환경에서 나는 자랐다.

열 살에 해방이 되어 귀국 길에 오른다. 전쟁에 지게 된 일인

들과의 갈등으로 온갖 흉흉한 사건과 소문이 난무하여 하루도 지체할 수 없는 생활에 서둘러 귀국하려니 살던 집과 모든 가재도구는 고스란히 두고 입은 옷도 챙길 여유 없이 돈만 챙겨 귀국하여야만 했다. 아버지가 챙겨야 할 식구가 20여 명이다.

열차표와 연락선 표를 구하기 힘들어 아버지는 할 수 없이 집과 가재도구 전부를 주고 열차표 20여 장과 배편 20여 장만 달라며 탄광 사장에게 부탁하여 집과 암표를 교환하는 조건으로 우리 일행은 열차도 편하게 앉아서 올 수 있었으며 일본 연락선이 아닌 미국 군함을 타고 귀국하였다.

암표로 구해 오다 보니 열차도 편하게 배편도 일본 연락선이 아닌 미국에서 세 번째로 큰 군함을 임시 귀국하는 사람을 태우기 위해 일본에 있는 한국 사람을 부산 부두에 내려주고 다시 부산 부두에서 일인들을 태워서 일본으로 돌아가는 배를 타 우리 식구는 비교적 빠른 시간에 귀국하였다.

일본 연락선을 탄 사람들은 우리보다 삼일 먼저 출발한 사람들이 우리보다 하루 더 늦은 다음 날에 대구에 도착하였다. 미국 군함을 탄 우리는 규슈에서 부산 부두까지 8시간 만에 도착하였다.

대구에만 도착하면 백부님이 집과 논과 밭을 아버지가 매달 부쳐 주는 돈으로 사두었으리라 생각하였으나 5남매 학교 보내며 9식구 생활비로 다 쓰고 삼 칸 초가에 살고 있었다. 2~3일 함께 북적거리다 우리 식구는 고향인 고령군 쌍림면 용동 2리 외가댁으로 갔다.

일본에서 가져온 일본 돈은 환전이 되지 않아 쓸모가 없어졌다.

어머니의 패물을 팔아 고령읍 현 문중에 삼간 겹 집에 마당에 우물이 있는 집으로 우리들은 외가 댁에서 나왔다. 우리 여섯 식구 귀국하여 새로운 생활이 시작된다.

부지런하신 아버지의 후덕한 성품과 억척스러운 어머니의 덕택으로 배고픔과 험한 음식은 우리들은 먹지 않고 살았다. 그 당시에는 국내에 살던 사람들도 굶주림은 다반사였다.

시간은 흘러 새해로 들어가면서 내 나이 11세가 되었다. 어린 나이에 부모님은 먼동이 트면 행상을 나가시고 어린 동생들과 집안 살림은 내 몫이 되었다. 고령 공립 국민학교에 다시 학교에도 다녀야 했다. 동생들 밥해서 먹이고 설거지는 하는둥 마는둥 대충하고 학교로 달려가야만 했다.

학교에 다닌다는 것이 나의 유일한 기쁨이며 즐거움이라 힘들다는 것도 잊고 살았다. 그러다 또 동생이 태어났다. 다섯째가 태어나고부터는 출석하는 날보다 결석하는 날이 더 많아 담임이신 박 선생님은 [선생님의 성만 기억하며 함자는 기억에 없다] 나무라지 않으시고 결석하는 날에는 저녁에 선생님 댁에 와서 배우라고 하셨다.

철부지인 나는 선생님 댁에 자주 드나들며 선생님의 어머님에 사랑과 은혜를 많이 입었다. 선생님께서는 내가 2학년이 될 무렵 나를 부르시며 선생님은 우리나라를 지킬 군인이 없어 군대에 가니 열심히 공부하여야 하며 공부를 그만두면 아니 된다고 하시며 공책 열 권과 연필 한 다발을 내 손에 쥐어주시며 헤어진 것이 마지막으로 6·25동란 중 전사를 하시어 다시는 뵐 수 없는 은사님이시다.

내 어깨를 토닥거려주시며 하시던 말씀 귀에 쟁쟁하나 선생님의 모습은 가물가물 잘 떠오르지를 않는다.

나를 많이 아끼고 사랑해 주신 은사님 3분의 선생님들 1학년 담임선생님에 함자는 성만 기억하며 이름은 기억에서 사라져 버렸다. 2학년 단임 이장호 선생님, 3학년은 월반하여 4학년으로 편입되어 담임이신 신오룡 선생님은 동란 중에 경찰에 의하여 사살되시었고, 5학년 담임이신 정수학 선생님, 6학년 담임이신 이철호 선생님은 전시에 징병되어 전사를 하시어 3분의 스승님을 동란에 전사를 하시고 동란 후로는 뵐 수 없는 은사님이시다.

특히 나를 학교 졸업을 하도록 지원을 해주신 4학년 담임이신 신보령 선생님에 은혜 입어 내가 졸업을 하도록 은혜를 베푸신 은사님이시다. 내 평생 잊지 못할 세분의 은사님들에게 보은의 보답도 하지 못한 제자가 되었으며 사변이 끝나고 마지막 학기에는 교감 선생님이신 이장환 선생님이 우리들의 수업을 맡아주시어 졸업을 하였다.

4학년 담임 신 선생님은 우리 경찰에 의해 돌아가셨으며 1학년 단임 박 선생님과 6학년 단임 이철호 선생님은 전사 하시어 세분의 은사님에게 보은에 인사도 제대로 드리지 못한 제자가 되었다.

내가 학교에 다닐 무렵에는 일본에서 중국에서 귀국한 어린이 글을 모르는 문맹인이 많아 학교 교실이 많이 부족하여 오전반 오후반으로 나뉘어 수업하였으며, 상급생은 오전 수업만 하고 오후 수업은 일이 학년에게 교실을 물려주고 학교 건물 짓는 모래와 자갈을 낮질 개천에서 남학생은 지게에, 여러 명이 모여 수레에 실어 나르며 여학생은 세숫대야나 함지박으로 낮질 개울에서 모래와 자갈을 지고 이고 가져와야만 하였다.

새로운 교실이 신축되어 이부제 수업이 끝나자 동란으로 건물이 파손되어 수업이 중단되고 전후에는 집으로 돌아왔으나 등교 학생은 많이 줄어 교실은 나중에 건물이 불에 타지는 않았으나 파손된 곳이 많아 우리 6학년만 피살이 경운제 제실에서 남녀 합쳐 며칠 수업을 하다 겨울방학에 들어갔다.

1951년 1·4후퇴 이후로 겨울방학은 연장선에 기다리며 등교 소식을 알게 된 것은 기억을 하지 못한다.

지금 생각하면 우리 41회 졸업생은 선후배들에 비하면 학교 수업은 3분의 1 정도도 못한 것 같은 느낌이 된다. 동란으로 인한 휴교령 부족한 교실 새 교실을 건축할 인력 부족으로 학생들에 노역이 첨가되어 수업은 많이 부족하였던 것 같았다.

그러한 미숙함 속에서도 학생들은 절반으로 줄었으나 1951년도에 고령 공립 국민학교 졸업장을 받아 졸업을 하였다.

2 가설극장

　연극 영화 구경을 즐기는 나는 딸이 시간만 나면 극장에 가자며 꼬드긴다. 영화를 보면서 오래전 내 행동이 추억으로 떠오른다. 지나간 추억을 생각하는 나 자신이 가소롭다.

　5·60년대에 내가 살던 고향 고령에도 가설극장이 심심찮게 왔으며 영화 연극 서커스가 오면 보고 싶은 유혹을 뿌리치지 못해 동생들을 꼬드겨 전병 과자 한 봉지 사다 안겨주며 "아버지가 주무시면 대문 빗장을 빼놓아라." 부탁하고 월담하여 가설극장 영화를 보러 다녔다. 그 당시 우리 집 담장은 기와를 올린 토담이 어른 키 높이와 비슷하여 담 안쪽에 돌절구가 놓여있어 절구 위에 올라 담 위에 올라 뛰어내린다. 영화나 연극이 오면 언제나 내 행동은 월담을 똑같이 하는 것이다.

　나에게는 언제나 돈이 있었다. 16세 때부터 나는 동양자수와 십자수를 시집가는 언니들의 횃대보나 책상보, 베갯모, 방석 같은 것을 수 놓아주면 수고비로 돈을 주니 돈이 궁하지 않았다.

　당시의 영화는 무속 영화도 섞여 있으며 남녀 국내 영화배우들의 연기가 흥미로워 저녁밥을 일찍하여서 동생들 밥 먹이고 들일 나가신 부모님 돌아오시면 설거지 끝마치고 어둠이 내리면 우리 집 대문이 닫힌다.

　아버지께서 방에 들어가시고 나면 동생에게 "부탁한다."는 말을 한마디 하며 일어서 문밖을 살피며 월담을 한다.

　부모님은 다 자란 딸들이라서 엄하게 훈육하시나 나는 가설극장이 오면 유혹을 물리치지를 못해 부모님의 눈을 속여야만 했다. 그 당시 여배우들은 황정순, 조미령, 최은희, 도금봉, 전옥이, 남배우는 최무룡, 이민, 김승호, 허장강, 이애춘, 서해, 황해, 전택이 같은 쟁쟁한 배우들이 많았으며 외국영화는 주로 서부영화가 주류를 이루고 상영했으며 연극은 신파라 하여 연극 주제가와 유행가를 불렀으며 서커스는 지금과 비슷하였다.

우리 집은 딸이 많아 아버지의 엄한 훈육을 외면하면서 나는 부모님 몰래 월담하여 쥐새끼마냥 빠져나가 영화와 연극을 보는 것을 즐기고 다녔다. 지금 생각하면 '부모님이 정말 몰랐을까?' 의문이 든다. '아시면서도 모르는 척 눈 감아 주시지 않았을까?' 상급학교 진학 못시킨 미안함도 있을 것이며 나이 어린 동생들 챙기며 집안 살림을 도맡아하는 큰딸이 안쓰러워 내가 하는 일을 많이 도와주시던 아버지시다. 그런 아버지를 속이면서 월담을 하여 구경하러 다니는 불효한 딸이었다.

　주위에서는 모두들 아버지를 인자하시고 자상하다며 우리 남매들을 부러워들 하였다. 딸과 함께 극장에 갈 때마다 아버지의 환영을 그려본다. 철없이 굴던 나의 행동이 부모님의 나이가 되어서야 나의 행동에 대한 뉘우침에 용서를 빌고 싶은 후회를 한다.

3 남동생의 죽음

내 나이 여섯 살에 둘째가 네 살, 셋째로 남동생이 태어나고 백일도 되지 않은 아기가 병이 나서 우리 집으로 왕진 다니던 여의사가 하얀 가운을 입고 인력거를 타고 왕진 가방을 들고 오는 모습이 어린 나의 눈에는 너무도 멋있고 부러웠다. 나도 크면 의사가 되어야겠다고 마음을 되새기며 다짐을 하였다.

여의사가 매일 왕진을 와서 주사를 놓고 약을 주고 갔으나 태어나 백일도 되지 않은 동생은 하늘나라로 가버렸다. 어머니의 처절한 슬픔은 오래도록 가시지 않았다.

당시에 우리 집은 고국에서 온 친척들과 오고 갈 데 없는 젊은이들이 탄광에서 일하며 10여 명이 우리 집에서 기숙하고 있었다. 아버지는 고국에서 먹고살기 위해 바다를 건너왔으나 먹고 잠을 잘 곳이 없다면서 사정하면 뿌리치지 못하고 집으로 데리고 와서 함께 탄광에서 일하고 우리 집에서 기숙하게 하였다.

동생이 떠난 후로는 어머니도 "더 이상 데리고 오지 않았으면 좋겠다." 하면서 완강히 거절하신다. 남동생이 떠난 이후로는 어머니의 완강한 거절에 더 이상 사람들을 데리고 오지를 않았다.

어머니의 완강함으로 숙여지는 아버지의 고개를 볼 때마다 어린 나는 알지 못하면서도 알려고도 하지 않았다.

해방되고 귀국하여 가난한 우리 집에는 그사이 딸만 6자매를 두어 외할머니가 볼일이 있어 오셔도 사위 보기 민망하시다며 점심 한 끼 아니하시고 뒤돌아 가시며

"네 아비는 뭐가 그리 좋아 계집 애들만 줄줄이 앞에 앉쳐 놓고 좋아서 웃고 있나?" 하시며 뒤돌아 나가신다. 할머니의 그 말씀이 무슨 뜻의 말씀인지 나는 이해하지 못하고 알려고도 하지 않고 자랐다.

죽은 동생 이후로 딸을 4명을 더 두어 우리는 6자매가 되어 있었다. 가부장 시대에 여섯 자매를 두었으니 외할머니께서는 사위 보기에 민망하시어 우리 집에 잘 오시지 않으셨다. 그 이후로 어머니는 새벽마다 관음사에 백일기도를 올리며, 초하루 보름에는 휘천강에 눈이 오나 비가 오나 용왕님께 기도를 올려 태어난 아들이 7번째로 귀한 남동생이 태어났다.

　다음 해에 1950년 6월 25일 동란으로 어수선한 사이에 7월 초에 여섯째가 설사를 하더니 하늘나라로 가고 피난 중에 다섯째 순미도 설사를 하더니 피난 중에는 약도 구할 수 없어 고생을 하다가 수복 후 집에 돌아와 3일 만에 하늘나라로 가버렸다.

　동란 전과 후로 두 동생을 하늘나라로 떠나보내니 아득한 어린 소녀 시절 남동생의 병간호에 왕진 의사의 기억이 나서 어머니에게 사연을 물어보았다.

　"네가 세 살이 되어 너의 아버지가 우리 모녀를 일본으로 불러왔으나 미숭산 골짝 반룡 골짝에서 자라 내가 무식하고 일본 말도 할 줄 모르고 잘 알아듣지도 못하고 그냥 너의 아버지 시키는 대로 하라는 대로 하면 되는 줄 알고 아무것도 모르고 너의 동생을 보내지 않았나? 폐렴에 걸린 아이 곁에서 따뜻하게 더운물 찜질로 계속 몸을 따뜻하게 코끝에 땀이 촉촉하게 해주어야 하는 것을 그러지 못하고 식구가 많아 더운 수건 갈아 어린 아기 가슴에 얹어 놓고 부엌에 갔다 오면 차갑게 식어있고 계속 그러다 나도 식구는 많아 산후조리도 제대로 하지 못해 몸이 굼떠서 그 어린 것을 부모 잘못 만나 그리되었다. 내가 무식하여 내 잘못으로 그래 보냈다."라고 오래된 옛이야기를 들려주신다.

　잊고 사시는 어머니의 아픈 상처를 딸이 되어 위로는 못할망정 새삼스레 들추어 내어 아픈 상처를 일깨웠다는 후회로 죄인이 되어 어머니의 얼굴을 바로 볼 수가 없었다.

　"엄마 미안해요. 용서하세요. 제가 잘못 생각하였습니다."

"아니다. 언젠가 너에게만은 이야기하려고 생각하였으나 이야기할 시간이 없었다."

그 이후로 아들 삼 형제를 더 두어 딸이 네 자매이고, 아들이 사 형제로 팔 남매 다복하게 자라다 큰동생 대구 농고 졸업하여 고령군 덕곡면 면서기로 발령받아 공무원 생활 6개월 하다가 자원입대하여 강원도 홍천에서 군 생활하다 정초에 첫 휴가 온다는 편지를 받아 온 가족이 모여 기다리는데 온다는 사람은 오지 않고 마지막 편지로 전사 통지서를 받았다. 부모님의 처절해 하시는 모습은 뵙기가 어려웠다.

서울 동작동 국립묘지에 안장하고 돌아오신 어머님은 그날로 동작동에 누워있는 큰동생을 위해 어머니는 고령 관음사 절에 공양주로 가셨던 우리 어머니! 한 많은 여생을 살다 가신 우리 어머니!

삼 형제 아들의 효성에 97세 천수를 누리시다 가신 우리 어머니! 불효 여식 어머니를 그리워하고 있습니다.

"용서하소서. 어머니 불효 여식 이제야 어머니에게 용서를 빕니다. 어머니!"

4 대가야의 수도 고령

고령 하면 옛 대가야의 도읍지였다는 것을 모르는 사람이 많다. 지금은 88고속도로가 양정동으로 우회하여 금산재를 넘어가지 아니하고 전라도 경상남도를 가며 고령터널도 생겨 마의 고개 금산재를 넘을 필요가 없어졌다.

성주 김천 방향도 굽이굽이 위험스러운 마의 고개를 넘지 않아도 고령터널로 편하게 갈 수가 있다. 이제는 옛 추억을 떠올리며 대구와 고령 시내 버스만 운행을 하고 있다.

고속도로와 터널이 없을 때에는 사통 팔방에 고령 금산재를 넘지 않으면 대구로 갈 수가 없었다. 합천 거창 진주 마산 전라남도 지역에서는 마의 고개 금산 고개를 넘어야만 하였다.

고령에서 출발하는 차는 작은 들을 지나 금천교를 건너 금산고개 입구에서 굽이 급이 돌아 정상에 오르면 다시 굽이굽이 돌아내려 가면 아찔함에 현기증에다 안도의 한숨이 저절로 나온다.

오죽하면 마의 고개 금산재라 이름하였겠는가?

금천은 겨울에는 서버다리로 사람들은 건넜으며 차는 물살을 가르면서 건넜으나 해방이 되고 1차 고령 국회의원에 당선되신 고령 독립지사이신 김상덕 의원님의 첫 사업으로 고령교를 건설하시었다.

금산재 정상에 오르면 차 안에서도 주산 능선에 많은 고분군이 한눈에 들어온다. 주산이 고령읍을 어머니가 아기를 포근히 안고 있는 모습은 소읍이라 옹기종기 모여 있는 집들이 한 곳에 모여 포근하고 정겹게 보인다. 그리 크지 않은 시가지 안에는 대가야의 도읍지답게 많은 고분과 유물들이 산재하여 볼거리가 많이 있다.

개진 나루터에는 동남아시아 문물과 신라 백제의 무역선이 번창하였었다고 알려져 있다. 주산 능선에 많은 고분군과 등산로

순장묘 내부 유물전시관, 고아동 고분군 내부 양정 암각화, 왕정 우륵 기념관, 대가야 성지비, 반룡사의 다층탑 도요지, 지석묘 성터 등 볼거리가 많다.

아득한 그 옛날에 흥망성쇠에 발자취를 되새겨 봄도 좋을 듯하다.

4일과 9일 고령 장날은 우시장이 근교에서는 대성황으로 번성하여 시장 옆 국밥집도 호황으로 해가 져도 요란스럽게 흥청거렸다. 그 많은 상인들과 사람들은 다 어디로 갔을까? 50년대 60년대에만 해도 우리 집 앞으로 지나다니던 보부상들이 줄을 잇고 다녔었다.

지금은 한산하게 사람 그림자도 찾기가 어렵다. 지금은 어디를 가나 대형 마트로 생활필수품을 구입하니 시장이 한산할 수밖에 없겠지?.

모처럼 고령에 왔으니 오늘이 고령 장날이다. 4일과 9일은 고령 장날이다. 시장 구경도 할 겸 옛날 친척이나 친구나 한 사람 만날 수 있을까? 하여 시장 한 바퀴 다 돌아다녀 보아도 안면이 있는 사람은 한 사람도 만날 수가 없었다.

'그때 그 사람들은 다 어디로 갔을까?' 시장도 너무 한산하다.

그러나 옛 가야인 들판에 빛나던 흥망성쇠의 역사 기질은 살아남아 밝은 미래가 있으리라 믿어 의심치 않는다. 내 고향 고령을 찾아 돌아 다녀보며 추억을 되새겨 본다.

5 둘째 외삼촌

1950년 동란으로 서울이 수복된 후에 군에 입대한 둘째 외삼촌은 제주도 훈련소에서 훈련을 마치고 백골 부대로 전출되어 가시던 중 부산 부두에서 잠깐 가족들의 면회 시간이 있어 면회를 오라는 연락을 받았으나 가을 추수가 한창 바쁠 때이라 외할머니가 대표로 가시어 잠깐 면회를 하고 외삼촌은 밤 열차로 전우들과 함께 전출부대로 떠나고 할머니는 혼자서 아들 얼굴 잠깐 보고 집으로 돌아오셨다.

1951년 구정도 지나 2월 중순경으로 기억을 한다.

어스름 저녁에 둘째 외삼촌이 첫 휴가를 오신 것이다.

우리 가족은 저녁밥을 먹고 나는 저녁 설거지를 마치고 부엌문을 나서는데 대문에 군인 한 분이 들어서며 "순덕아" 부르며 들어서기에 바라보니 군대에 가신 둘째 외삼촌이시다.

"외삼촌!" 하며 외삼촌 품에 안기며

"엄마 외삼촌 오셨다."

"누가 왔다고? 부대에서 오는 길이가?" 하며 부모님과 동생들이 방에서 몰려나온다.

"예. 내가 고향에 오기는 온 모양이구나." 하시며 만감이 교차하는 모습이다,

서울이 수복되자 나라에서 부름에 군에 가시었다가 보상 휴가로 일주일간 고향에 온 것이다.

휴가를 오실 무렵이 구정과 보름도 지나 저녁 어둠이 내려 저녁도 먹고 설거지도 끝나 급하여 밥보다 떡국이 빠를 것 같아 구정 때 먹다 남겨둔 떡국을 끓이며

"외삼촌! 떡국 괜찮죠?" 하며 나는 물어본다.

"떡국 좋고말고. 따끈한 국물이 맛나겠다." 외삼촌이 대답하자 나는 시장하겠다고 생각하여

"배 고프지예?" 나 혼자 대답하고 묻고 하며 넉넉하게 끓였다.

저녁에 먹고 남겨둔 밥과 김치도 상에 올렸더니 "진수성찬이네." 하시며 맛나게 잡수시며 얼굴에 홍조를 띠시며 "얼마 만에 먹어본 따끈한 국물인지 모르겠다."라고 하신다.

"우리 순덕이 덕택에 오늘 저녁 정말 맛나게 잘 먹었다." 하시며 웃으신다.

나는 5대까지 딸이 없는 여주 이씨 종갓집 6대에 어머니가 종손으로 태어나 나를 두었으니 외조부모님과 네 분의 외삼촌들 사랑이 각별하였다.

저녁 식사가 끝난 후 부모님은 이것저것 계속 물어보신다. 아버지께서

"소문에 주먹밥이 얼어 얼음 밥을 깎아 먹으며 생쌀을 호주머니에 넣어 다니며 시간 나는 대로 한 주먹씩 입에 털어 넣어 연명한다는 소문이 사실인가?" 하며 아버지께서 물어보신다.

"예. 현실이 그렇습니다."

"그래도 배고픔보다 더 무서운 것은 밤에 중공군들과 육박전으로 싸울 때 오른손에 단도를 지고 왼손으로 상대편의 머리에 머리카락이 손에 잡히지 않으면, 단도를 깊숙이 찔러 넣지 않으면 내가 죽어야 하니 동작이 민첩하지 않으면 그 자리가 자신의 무덤 자리가 되지요."

여기는 남쪽이라 눈이 많이 내려도 발목만 빠지지만 그 곳은 적게 와도 무릎까지 푹푹 빠지고 배는 고파 남아 있는 전쟁터에서 적과 대치하여 싸워야만 하는 전쟁터라고 하였다.

나의 기억으로는 2월 말 경에 휴가를 오시어 3월 초에 부대로 돌아가신 것으로 기억을 한다.

처음 휴가이자 마지막 휴가를 다녀가신 후로 소식이 없더니 전사 통지서를 받아야만 하였다.

유골은 어느 산하에 잠드시었는지 70여 년이란 긴 세월에 아직도 넋이나마 돌아오시기를 빌고 또 빌고 있지만 아직도 소식이 없다.

결혼 한지 1년도 되지 않아 신접살림을 하다 외삼촌 군대에 입대하여 가시고 외숙모는 혼자 집을 지키고 살고 계시다 전사 통지서를 받고 혼절까지 하였으며 꽃다운 나이에 전사 통지서를 받고도 믿을 수 없다며 기다리겠다며 고집하는 외숙모를 2년 후에 외할머니에게 등 떠밀리어 외숙모님은 개가를 하였다.

　문재인 대통령과 김정은 위원장이 손을 맞잡고 남북 경계선을 넘나들며 화합하여 전쟁 중에 잠든 유골들을 소환하는 행사도 있었거늘 저의 외삼촌은 아직도 어느 산하에 잠들어 계신지 70여년이란 긴 세월에 아직도 넋이나마 돌아오시기를 빌고 또 빌고 있지만 아직도 소식이 없다.

　너무도 오랜 세월이 흘렀다. 1951년 2월 말 경의 전사 통지서 받았으나 아직도 유골은 어느 산하에 누워 계시는지 묘연하다.

　정 많고 자상한 외삼촌 뵙고 싶습니다. 넋이나마 돌아오세요.

　생질녀가 두 손 모아 빌고 또 비옵니다. 명복을 빕니다.

6 산청 목화 마을

　모처럼 대소가의 친척들과 남해대교와 다랭이논 마을에 야유회를 다녀오며 산청 목화 마을을 둘러보게 되어 아득한 옛날 어린 소녀 시절 외할머니 따라다니며 목화를 따든 옛 추억의 환영에 젖어 든다.

　할머니 따라 목화밭에 가면 만개한 예쁜 꽃송이와 초록색 다래가 서로 엉켜있는 아래에 하얀 솜 꽃이 보송보송 피어오르는 모습은 어린 나의 눈에도 정말 예뻤다.

　할머니는 밭에 도착하면 제일 먼저 반짝반짝 윤이 나는 다래 두 알을 뚝 따서 손으로 삭삭 문질러 치마폭에 닦아 내 입속에 밀어 넣어 주신다.

　달짝지근한 즙은 이 세상 어디에서도 맛볼 수 없는 달고 단 음료수였다. 내가 목을 축이면 할머니는 행주치마를 둘러 입고 목화솜 꽃을 속속 빼내어 행주치마에 담으신다.

　나는 할머니의 모습을 보며 흉내를 내면서 작은 보자기를 허리에 둘러 왼손으로 대궁을 잡고 오른손으로 부드러운 솜을 뽑아 올리는 재미에 정신없이 하다 보면 할머니가 집에 가자고 하신다.

　할머니는 행주치마와 머리에 한가득 이고, 나는 내 보자기 행주치마와 머리에 한가득 이고 집으로 오는 내 발걸음은 개선장군처럼 당당한 걸음처럼 즐거웠던 소녀 시절이었다.

　하루 햇볕에 말려 씨앗기에 목화를 돌려 솜과 씨앗을 분리하여 새벽이슬에 내어놓았다가, 활로 솜을 퉁겨 수숫대로 꼬치를 만들어 물레를 돌려 실을 뽑아 씨줄과 날줄로 분리하여 벼 집단을 태워, 그 불에 풀 먹인 씨줄을 베틀에 올려놓으며, 날줄은 북실로 만들어 북마다 부딪치며 베를 짜던 할머니의 모습을 환영으로 그려보며 뵙고 싶은 할머니가 그리워 입속으로 불러본다.

산청 목화 마을을 돌아보며 외할머니를 만나 뵈온 듯 행복한 여행을 하였으며 마지막으로 성철 스님의 기념관을 들렀다 오는 즐거운 여행이었다.

성철스님의 명언 '산은 산이요. 물은 물이로다.'

7 스승의 날

오래전 국민(초등)학교에 다닐 무렵 여러 선생님이 계시지만 특히 4학년 담임이신 은사님 신오룡 선생님이 불현듯 뵙고 싶다. 만나볼 수 없는 은사님이시기에 스승의 날인 오늘 지면으로나마 인사를 드리고 싶어 몇 자 적어봅니다.

가난한 형편에 6남매의 맏이로 자라 어린 동생들을 챙겨야 하기에 걸핏하면 아버지가 학교에 찾아오셔서 나를 퇴학을 시켜달라며 여러 차례 찾아오신 아버지를 선생님께서는 설득을 한다기보다 오히려 애원하시며, 결석과 조퇴를 하더라도 퇴학만은 말리시어 6학년 졸업할 때까지 월사금도 내지 않게 해결을 해주시어, 선생님 덕택에 졸업을 할 수가 있었다.

선생님 도움으로 졸업장을 손에 쥐면서도 은사님에게 보은의 인사도 드리지 못한 제자가 되었다.

선생님께서는 내가 6학년이 되는 해 6·25동란에 피난 며칠 앞두고 보도연맹에 연루되시어, 피난 가기 전 며칠 앞두고 경찰에 연행되고 사살되어 이승을 하직하시었다.

인자하시며 특히 제자들을 아끼시며 사랑하셨다. 언제나 온화하신 미소로 학생들을 보듬어 주시던 분이셨는데 우리들은 선생님이 언제 어떻게 돌아가셨는지도 몰랐다. 전쟁이 끝나고 나서 학교에 가서 알게 되었다. 어른들 말씀에 보도연맹이란 이름 아래에 죄 없이 많은 사람이 억울하게 죽었다는 것을 알게 되었다.

황혼의 늪에서 허우적거리며 요즘 글쓰기 공부를 하면서 소녀시절 자애로운 선생님 모습을 그려보며 지면으로나마 감사하다는 인사를 올리고 싶어 연필을 들었습니다.

"감사합니다. 선생님! 선생님의 자애로운 제자 사랑에 언제나 따뜻한 위로의 말씀."

"가난은 부끄러운 게 아니다. 아는 것이 힘이다. 열심히 배우고 노력하여라."

"형편이 어려울수록 더 남보다 열심히 노력하여야 한다." 하시며 어깨를 토닥거려 주시던 말씀 지금도 귀에 쟁쟁합니다.

선생님의 끈질긴 설득에 아버지께서도 뒤늦게 선생님의 말씀을 하시며 고맙다는 말씀 한마디 못 하신 것이 한스럽다 하셨습니다. 스승의 그림자도 밟지 않는 것이 제자 된 도리라 가르치던 분이었습니다.

소녀 시절에 문학의 꿈을 백발인 황혼에 도전해 보려고 노력하고 있습니다. 선생님을 그리워하며 열심히 배우며 즐기다 보니 스승의 날인 오늘 선생님의 보은에 보답 못한 죄스러움에 지면으로나마 감사하다는 인사 여쭙고 싶어 보잘 것 없는 글을 올립니다.

다음 생이 있다면 다시 한번 선생님의 제자가 되어 못다 이룬 학업 열심히 착실하게 배워 선생님의 은혜에 보답하겠습니다. 선생님! 사랑하고 고마웠습니다.

2016년 5월 15일   황 순임(순덕) 올림

8 아버지는 고모에게 죄인이 되었다.

　대한도 지난 겨울 날씨가 포근하여 오랜만에 딸과 둘이서 '군함도' 영화를 보러 갔다.

영화는 일제 강점기에 우리나라의 젊은이들이 탄광 노무자로 끌려가 노동 착지에 굶주림과 노역으로 배가 돌아오지 않으면 살아서는 섬 밖으로 나올 수 없는 사방이 바다로 둘러 가려진 배처럼 생긴 섬 '군함도'를 탈출하는 영화였다

　'군함도'를 보면서 아득한 옛날 나 어린 유년 시절부터 보고 들으며 자라온 옛 기억이 생생히 눈앞에 영상물이 되어 돌아간다. 일인들은 우리나라를 강압하여 자기들에 속국으로 만들어 온갖 만행을 끝내지 않고 우리 젊은이들을 노예처럼 추달하며 억압하였다

　일본인들의 간악하고 흉물스러운 욕심은 아득한 임진왜란 때에도 산천을 유린당해 많은 인명을 도륙　당하고 재물을 도적질 당하는 수모를 겪었으며 1910년 8월 29일 경술국치에는 나라를 완전히 빼앗기는 통분을 감수해야만 하였으며, 도적들에게 36년간을 우리 백성들은 억압을 당하여 특히 젊은 남녀 청춘들이 뼈저린 노예 생활의 고통을 겪어야만 하였다

　야욕에 눈먼 일본인은 우리의 국모를 시해하는 만행을 저지르고도 모자라 사악한 일인들은 우리의 젊은이들을 광산 노무자로 노예처럼 억압하며 젊은 엘리트들을 학도병으로 자기들 야욕을 채우기 위하여 우리들의 젊은이들을 총알받이로 전쟁터로 내몰기도 하였다.

　일제 식민지 시대에 전 국민이 힘들고 어려운 시대였으나 특히 젊은 청춘 남녀들의 참담한 생활이 눈앞에 아른거려 옛 기억을 떠올리며 아버지와 막내 고모의 기막힌 운명에 사연을 옛 추억으로 간추려 본다.

　저의 아버지는 경북 고령군 쌍림면 용동 1리 전형적인 시골

마을에서 태어나 성장하여 사셨다.

　미숭산 자락이 남으로 내려오며 마을을 감싸 안은 집성촌인 창원 황씨들만 모여 사는 그리 크지 않은 정골천이 들 마들을 촉촉이 적셔주며 흘러내리는 양지바른 마을이다.

　백석 농사를 주업으로 황창봉댁 살림이 저의 할아버지 창봉{황 의성}께서 큰아들 처가에 빚보증을 하여주어 일인들의 고리채로 하루아침에 집안이 파산하여 20여 명의 대가족이 뿔뿔이 헤어져야만 하였다.

　절기로는 이제 여름으로 들어서는 입하이나 보리 이삭 밀 이삭이 고개를 곧게 들며 초록색 파도로 일렁이다 갈색으로 변하는 넓은 들을 바라보며 창봉댁 식구들은 각자 자기 옷 몇 가지 보자기에 싸 작은 보퉁이 하나씩만 들고 제각기 뒤돌아보며 인사말도 없이 눈물을 훔치며 기약 없는 이별을 하여야만 하였다.

　보릿고개 어려운 시기도 지나 보리타작을 시작으로 활기 넘치는 농번기가 돌아왔건만 창봉댁 식구들은 암담한 현실 앞에 뿔뿔이 헤어져 고향을 버리고 낯선 곳으로 모두 떠나야만 했다.

　저의 아버지는 결혼한 지 3개월 된 어머니를 친정으로 보내며 함께 가서 처부모에게 하직 인사라도 드려야만 하였으나 차마 염치가 없어 처가에 들리지 못하고 저의 어머니 혼자 친정으로 보내며 반드시 성공하여 돌아올 것이라며 조금만 참고 친정에서 기다려 주면 꼭 다시 만날 것을 기약하며 당신은 밀항하여 일본으로 가기 위해 태어나서 자란 고향을 떠나 가족들과 작별하여 떠나야만 하였다.

　난생처음으로 고향을 떠나는 두려움도 잠시 꼭 성공하여 헤어진 가족들과 함께 모여서 사는 꿈을 그리며 낯선 길을 물어물어 걸어서 이틀 만에 부산에 도착하여 여기저기 다니며 밀항하는 배를 수소문하여 부산 부두에서 오후 8시경에 저녁을 먹고 배에 올라 배가 출발하여 배 안 아래 칸에 누워 잠을 청하나 쉽사리 잠이 오지 않아 한숨만 쉬다 보니 만감이 교차하여 일어나 앉아 있으니, 배 사람인 남자 한 사람이 곁에 오더니 일본 감시선에 포착되었다며 짐을 챙기라며 잠든 사람들을 깨운다. 짐이라야 갈아입을 옷 몇가지 싼 작은 보퉁이 하나다.

배 안에는 당신 외에도 세 사람이 타고 있었다.

칠흑 같은 배 밑창에서 기어 나오니 하현달이 중천에 떠 있어, 곧 날이 밝으리라 여기며 배에서 내려 흙을 밟으니 뱃사람이 "함께 한 방향으로는 가지 마라."며 서로가 등을 돌려 사방으로 흩어져 가라고 일러 준다. "조심해서 잘 가시오!"하며 작은 포구 산기슭에 내려주며, 배는 떠나버리고 작은 어촌 산기슭에 내려 낯선 곳에서 어디로 가야 할지 암담한 처지에 길과 마을 쪽은 위험 부담이 있어서 산을 넘고 또 산을 넘어, 피해 간 곳이 저녁노을 곱게 물든 하늘에 집집마다 저녁밥 짓는 연기가 비단 실타래가 곱게 일렁이는 마을 이름도 모르는 생소한 마을에 도착하여 사람을 찾아 물어보았으나 인기척이 없어 골목길로 들어서니 멀리 나환자촌이라는 표지목이 길가에 서 있다.

천신만고 끝에 찾아 든 곳이 하필 나환자촌으로 찾아들었으니 어처구니없는 현실 앞에 억장이 무너진다.

어제 저녁 먹은 이후로 물 한 모금도 먹은 것 없으니 배는 고파 꼬르륵꼬르륵 배에서는 염치없이 소리를 지른다.

해는 뉘엿뉘엿 서산을 넘어 어둠이 내리고 배는 고파 한 발도 더 걷기 힘들었으니 모든 것을 체념하고 마음은 내키지 않으나 더 이상 물러설 곳이 없으니, 운명에 맡길 수밖에 없었다.

많고 많은 마을 중에 왜 하필이면 나환자촌으로 들어왔을까? 혼자서 탄식도 하여 보았으나 별도리가 없었다.

마을 입구에서 한 청년을 만나 숨겨 달라 사정하니 청년의 대답은 "마을의 큰 어른에게 물어보고 올 터이니 여기서 기다리라."하며 마을 안으로 들어가더니, 60대 중반쯤 된 어른이 청년과 함께 오는 모습이 두 분도 환자이다. 전후 사정을 이야기하며 숨겨 달라 부탁하니 노인의 첫 말씀이

“자네 피란을 오기는 잘 찾아왔네.” 하시며 마을 안으로 들어가더니, 60대 중반쯤 된 어른이 청년과 함께 오는 모습이 두 분도 환자이다. 전후 사정을 이야기하며 숨겨 달라고 부탁하니 노인의 첫 말씀이

　“나를 보면 알겠지만, 여기는 나환자촌이라 경찰이나 헌병들은 여기를 찾아 들어오지 않는다네.” 하시며, 안심하라고 하신다.

　“이왕 여기까지 왔으니, 농사일을 도와주면 우리도 보답은 하겠네.”

　“결정은 자네가 하게.” 하시기에 농사일을 도와 거기서 보리타작과 모내기를 하며, 한 달 보름을 노동하며 머물게 되었다.

　평생 산골에서만 살다 말만 들은 바다 건너 일본에 밀항하여 성공하여 돌아오겠다는 가족들의 믿음에 기막힌 날벼락 같은 소문이 날아든다.

　고령 시장과 쌍림면 고을마다 부산에서 떠난 밀항선이 파산을 하였다는 소문이 날아들어 반룡 동네에서도 알게 되어, 이창동 [이판돌] 어른께서는 소문의 진위를 알아보려 큰아들과 함께 난생처음 사위의 생사를 알기 위해 부산으로 길을 찾아 나서 부산에 도착하여 밥과 술을 사 먹으며 수소문을 하며 고기잡이 어부들에게도 물어보며 다녔으나, 모두 모른다고 하여 생사를 알지 못하고 삼사일 고생만 하고 돌아오셨다.

　고향에서는 소식이 단절되어 뿔뿔이 헤어진 가족들도 노심초사 애간장을 태우며 마음고생을 많이 하였다고 하였다.

　밀항할 무렵이 초여름이라 보리타작과 모심기 철이라 혼자서 하루에 거기 사람 5·6인분의 일을 혼자서 해치우며 음식도 주는 대로 가리지 않으며 먹어주니 고마워하며 보리타작과 모심기가 끝나자, 어른께서 부르시어 찾아가니 어른의 말씀은,

　“이틀만 더 일을 거들어 논두럼 콩 심어주고, 모레 이른 아침 먹고 기장 쪽으로 가면 배가 기다리고 있을 것이니 그 배는 안

심하고 타고 가시게." 하시며

"이거 몇 푼 되지는 않으나, 도착하여 밥은 며칠 사서 먹어야 하니, 받아주게!" 하며 주시는 돈이 당시의 돈으로 이백 원이었다고 하였다.

"자네 갈 곳은 정하고 가는 것인가? 아니면 무작정 가는 것이면, 오노 다실에 있는 탄광에 찾아가서 일하겠다고 부탁하여 보게. 일본 사람이라도 사람이 좀 후하다고들 소문이 있다네."

"젊은이 일하는 모습 보니 어디를 가서 무슨 일을 해도 자네는 성공할 것이네." 하시며

"이젠 그만 나가보시게 눈 좀 붙여야겠네." 하며 누우시기에 물러나오며

"고맙습니다."라는 말을 몇 번이나 되뇌며 고개를 숙였다고 하였다.

친인척처럼 자상하게 챙겨주시는 어른의 은혜를 교훈 삼아 평생 남의 일이라도 내일로 생각하며 열심히 하고 살았다고 하였다.

이른 아침을 먹고 헤어지며 고마움에 어른의 손을 잡으려고 하니 뒷짐을 지시며,

"무운을 빌겠네. 부디 몸조심해서 잘 가시게." 하며 고개를 숙여 인사도 하기 전에 뒤돌아 가시어 등에 대고 인사를 하였다고 하였다.

아버지 또래로 보이는 청년 한 분이 자기가 길잡이를 하여 배까지 함께 가서, 배가 떠나는 것을 보고 오라는 어른의 명이 있었다며 앞서가기에 뒤를 따라 함께 걸으며, 많은 이야기를 하였으나 그 어른에 대해서 몇 마디 여쭈어보았으나, 마을 사람 중에는 누구도 어른의 행적에 대해서는 아는 사람이 없다고만 하였다.

아버지는 그 어른은 범상하신 분으로 남모르게 공부를 많이 한 학자이거나, 성인인 것 같은 느낌이 드는 귀하신 분이라고

생각하면서 병만 아니었으면 우리나라의 동량인 기둥이었을걸 하시며 평생 그분들의 은혜를 잊을 수가 없다고 우리들에게 이야기를 해 주셨다

아버지는 눈이나 비가 와 들 일을 못 할 때면, "그분들의 은혜를 잊을 수가 없다."시며 혼자서 하시는 말씀이 '요즘은 의술이 많이 좋아져 병이 나아졌겠지?' 하며 혼자 중얼거리시며 비슬산 정상을 바라보시며 '저 산 넘어 어딘가에 아직도 살아 계실까?' 하시며 혼자서 비슬산을 쳐다보고 계시는 모습을 종종 빌 수가 있었다.

밤에 볏짚으로 가재도구를 만드시며 우리들에게 그분들은 자기들의 고통과 불편함도 탓하지 않고 남을 도와주는 고마운 인정에 잊을 수가 없다며 그곳에서 배우고 도움받은 일을 추억으로 자주 들려주셨다.

그분의 덕택에 안전하게 밀항하여 어른이 일러주는 탄광에 직접 찾아가, 사장을 만나 어떤 일이든 시켜만 주면 열심히 할 것이니 일을 시켜줄 것을 부탁하여 그곳에서 탄광 보수공사를 하는 일을 시작하여 그곳에서 삶의 터전을 마련하게 되었다.

근면하고 성실한 성품에 눈썰미가 있어 무엇이나 한번 보면 따라 하고 만들어 내는 손재주가 있어 탄광이 무너지면 보수를 하는 기술이 뛰어나 사장의 신임이 두터웠으며 다른 탄광에서도 무너지면 찾아와서 사장에게 도와달라며 부탁하여 보수공사를 하여주니, 사장 마음에 흡족하게 일 처리를 하여주어 신임이 두터워 인건비도 다른 노동자들보다 많이 챙겨주어 빠른 시일에 성공을 하였다고 하셨다.

아버지는 그 후로 탄광에서 자리를 잡고, 그 사이 내가 외가에서 태어나 세 살이 되어 어머니와 함께 일본으로 가서 우리 가족 세명은 함께 탄광촌에서 살게 되었다.

고국에서는 보국대라는 미명 아래 우리나라의 청년들을 강제로 징집하여 탄광으로 끌고 갔다. 고향에 종조부께서 급한 연락

이 왔다. 저의 당숙께서 강제 징집되어 '군함도'로 갔으니 살아서는 나올 수 없는 곳이라 하니 도와주라는 연락을 받고 아버지는 몸을 담고 있는 탄광 사장에게 거금을 손에 쥐여 주고 아버지 곁으로 데리고 와서 그 이후로는 당숙은 아버지와 함께 우리집에서 출퇴근을 하였다. 그 당시에도 청탁이라는 것이 있었다고 하였다.

그 이후로는 고향에 친척들이 탄광 노무자로 끌려가 3·4명이 소식이 두절되어 아버지에게 도와달라는 연락에 아버지의 능력 밖에 일이라 도와주지 못함을 친척들은 아버지를 두고두고 원망하여 매몰차고 인정 없는 사람으로 욕을 하여 아버지는 가슴 아파하였다

당신 형제분도 아닌 일로 마음고생을 많이 하였다고 했다. 파산 이후로 아버지는 자리를 잡으시었으나 다른 가족들은 힘든 삶을 살아야만 했다.

아버지 형제분이 7남매 중 위로 형님이 두 분, 아래로 여동생이 넷 중 위로 둘은 결혼을 하였으나 셋째 고모는 17세에 서둘러 결혼은 하였고, 막내 고모는 15세 어린 나이에 결혼을 서둘지 못해 근로정신대로 끌려가 고생을 하고 있었다.

아버지는 당신이 매월 부쳐주는 돈으로 식구들 밥은 굶지 않으리라 생각하였으나 막내 고모가 근로정신대에 끌려가 고생을 한다는 것을 모르고 계셨다가 고향에서 온 인편으로부터 막내 고모에 일을 알게 되었다. 그분은 어머니의 친인척으로 아버지가 다니는 탄광에서 일을 하게 도와 달라며, 찾아온 분이다.

고모는 낙하산 천을 짜는 공장에 누에 꼬치를 삶아 실을 뽑아내는 노동 작업 일을 하는, 손에 물 마를 시간 없이 더운물에 손을 담가 실을 뽑아내어야 하니 손이 물에 불어 진물이 나며 살결이 너덜너덜 걸레 같아 딸만 보면 할머니는 불쌍하여 모녀 안고 운다는 소식을 전해주어, 다음 날 탄광 사장에게 휴가를 받아 귀국하여 대구에 있는 야마다 공장에 가서 면회하여 동생

을 만나보니 눈을 뜨고는 볼 수 없는 모양새라 두 남매 부여잡고 거기서 아버지 평생 울음은 그날 거기서 다 울었다고 하였다.

귀국하여 고향에도 들리지 아니하고 그 길로 뒤돌아 일본으로 가서 사장에게 거금을 안겨주고 할머니와 고모님을 일본으로 모셔와 우리와 함께 살면서 이번에는 고모가 결혼을 하지 않은 미혼이라, 정신대에 보내지 않으려면 빠른 시일 안에 총각을 찾아 결혼을 하여야만 하였다.

급히 서둘러 결혼시키려다 보니, 총각을 구한다는 것은 아버지의 조건은 반드시 한국인 총각이며, 그리고 한 번도 결혼하지 않은 총각이어야 한다는 조건이었다.

생활비는 아버지가 책임을 진다는 조건 하에 급히 서둘러서 결혼을 한 것이 고모 나이 16세에, 17세 위인 33세 노총각인 진주에 고향을 둔, 홀어머니의 누나가 하나 있는 가난한 총각이었다.

아버지는 매달 생활비를 고모님 댁으로 챙겨 보내니, 처가 도움으로 생활에 불편 없이 부부 금슬도 좋았으며, 1년 후에 첫딸을 얻어 행복해하였다. 고모부는 학생이 아니어서 학도병으로 갈 염려도 없었으며 탄광에서 아버지에 이를 도와주는 일을 하다 보니 남들보다 편한 생활을 하였다. 그러다 해방이 되어 귀국길에 오르게 되었다.

우리는 고향 경북 고령으로, 고모는 경남 진주로 가게 되었다. 해방된 조국에 돌아왔으나 일본에서 살던 집이며 가재도구는 고사하고, 옷도 여벌 챙기지 못하고 입은 그대로 돈만 챙겨 귀국하여야만 했다.

일본 사람이나 한국 사람이나, 감정에 골이 깊어 서로가 신경을 곤두세워 눈길이 곱지 않아 마음이 다급하여 서둘러 귀국해야만 하였다.

우리 집은 집도 크며 넓어 많은 가재도구며 생활 편리 시설들을 일인들은 집을 탐내면서도, 아무도 사려 들지 않아 사장에게 부탁하여 열차표 20여 장과 배표 20장, 우리 집과 가재도구와 교환하는 조건으로 처리되어 암표로 돈만 챙겨 귀국길에 오르다 보니 20여 명의 대가족이 다른 분들보다 편히 열차에 앉아서 올 수가 있었다.

일본에 연락선이 아닌 미국 군함을 타게 되어 하관 [시모노세끼]에서 배를 타야만 하였다.

하관 역에서 내려 부두까지 걸어 부두에서 두 밤을 지새우고, 다음 날 늦은 저녁을 먹으면서 어머니가 나와 동생에게 밥을 든든하게 많이 먹어 두라고 말하시며 배에 오르면 아무리 배가 고파도 사서 먹을 곳이 없다고 하시며 배부르게 먹어 두라고 하였다.

나는 차만 타면 멀미를 하기에 아버지께서 어린 것들은 배고픔을 참기 힘들며, 큰 애는 배멀미를 할 것 같으니 주먹밥 몇 개와 밀감 통조림 네 다섯 개를 준비하여 당신이 챙겨 다른 사람에게 맡기지 말고 단단히 챙기라며 당부를 하신다.

아버지는 식구들을 돌아보며 중요한 것만 몸에 챙기고 옷가지 같은 것은 모두 버리고 몸에 지닐 수 없는 것은 다 버리고 모두 꼭 살아서 고향에 가야지 하시었다.

사촌 오빠들의 이야기로는 우리가 타는 배는 미국에서 3번째로 큰 군함이라고 하였다. 배가 너무 커서 부두까지 들어 올 수가 없어 부두 앞 바다 멀리 두고 적은 배로 사람을 실어다 옮겨다 태웠다.

통통 배와 고기잡이배가 부두에서 사람들을 태우고 가서 군함으로 옮겨 타는 와중에 사다리를 타고 건너야 하기에 파도가 출렁거려 많은 사람이 바다에 빠지는 불상사가 여러 번 있었다.

살기 위해 옷 보퉁이나 이불 보퉁이를 바다에 버려야만 하였다. 내 기억으로는 통통배로 건너는 것이 우리들 팀이 마지막 팀이었던 것 같다.

통통배 갑판 위에서 본 군함의 모습은 어마어마하여 오빠들도 놀라며, 일본에 패망이 당연하다며 통쾌하다며 소리친다. 오빠들이 희희낙락하고 있으니 아버지가 "입 다물고 보퉁이 풀어 중요한 것만 몸에 챙기고 옷과 이불 버리고 동생들을 업어라 지시를 하며 모두들 정신 바짝 차려야 고향에 갈 수가 있다."고 하였다.

저녁밥이 끝난 후 우리들은 부두 쪽으로 자리를 옮겨 아버지 손에 들려 있는 서류뭉치에 순서대로 줄을 서서 배가 오기를 기다렸다 오래 기다리지는 않았다.

다행히 우리들은 사다리가 아닌 것 같다는 말이 누구의 입에서 나오는지 들려왔다. 통통배가 태산처럼 거대한 배 옆으로 조심스레 딱 붙어 서드니 통통거리는 소리가 멈춘다.

큰 배와 작은 배 사이에 넓은 판자가 걸쳐지더니 "10살 미만의 아이들은 어른들이 업고 건너가라."고 말을 하며, 위험하니 서둘지 말고 건너라며 계속 주의를 주고 있다.

우리들이 타고 온 배에서 사람들이 모두 건너온 것인지 뱃고동 소리가 요란하게 들린다.

우리 가족들은 늦게 군함에 올라 배 안쪽으로 들어가지 못하고 배 난간 쪽에 자리 잡았다.

배 난간에서 본 하늘의 별들은 반짝거리며 검은 바다에 쏟아져 내릴 것 같아 무서워 나는 눈을 감아 잠을 청하였다. 어린 우리 4자매는 바로 잠이 들어 몇 시간을 잦는지 잠결에 누구인지 "섬이다." 하는 고함소리에 놀라 일어나니 해가 중천에 떠 있었다. 젊은 남자들의 고함소리가 요란스레 울린다.

사촌 오빠들과 당숙들이 서로 껴안고 고함을 지르며, 뛰며 우는 것인지 웃는 것인지 법석이다. 나는 정신없이 바라보며 엄마에게 물어보니 좋아서 그런다고 한다. 나는 오빠들이 울고 있는 것이 이상하여 어리둥절 바라보고만 서 있었다.

일본 하관에서 출발한 군함은 8시간 만에 부산 부두에 도착하였다. 오빠들과 당숙들에 이야기로는 "이처럼 큰 배가 속도가 빠른 것은 미국이 일본보다 월등히 과학이 발달한 가보다." 하며 놀라워하며 일본의 패망은 당연하다고 이야기를 하고 있다.

배에서 내려 부산 부두에서 부산역으로 가던 와중에 웬 젊은 청년이 누구인지 모르게

"형님! 이제 오십니까?" 하며 인사를 하며 벌써 동생을 업으며 내 손목을 끌고 간다. 아무 영문도 모르고 두 자매가 끌려가는데

"저놈 잡아라." 라는 아버지의 고함소리에 앞서가던 사촌 오빠 둘이 뒤돌아서며 동생을 낚아채며 발을 걸며 넘겨 나와 동생을 구하였다.

아찔한 순간이었다. 우리 자매는 또다시 부모님과 이별을 할 뻔하였다.

내가 6·7세 무렵 우리가 살던 일본 이노다 도시에 태풍으로 동생과 나는 부모님과 헤어져, 2박 3일 만에 부모님을 만난 경험으로 나는 사이렌 소리만 들리면 동생 손목 잡고 문 앞에 대기하는 버릇이 생겼다.

너무도 갑작스러운 순간이라 다리가 떨려 걸음을 걸을 수가 없어 멍하니 서 있으니 아버지가, 오빠들 손에 보따리를 뺏으며 "많이 놀란 것 같으니 너희 둘이서 하나씩 업어라." 하여 사촌 오빠 둘이 나와 동생을 등에 업혀 부산역까지 도착했다.

고모와 우리는 부산역에서 헤어져야만 했다. 우리는 대구로 고모는 진주로 가는 열차를 타야만 하였으니 열차에 오르기 전부터 고모는 눈물 바람이다. 아버지는 고모를 달래며 자리가 잡히면 진주로 연락하겠다며 달래어 보내며 헤어졌다.

날씨가 초겨울인데 갑작스레 추워져 역에 내리니 하얀 눈이 휘날리고 있었다.

대구역에서 내려 역사 밖으로 나오니, 미국군인 6명이 모닥불을 피어놓고 불을 쬐고 있었다. 나는 미군을 그날 처음 보았다.

아버지가 가까이 가서 말은 통하지 않으니 손짓으로 담배를 호주머니에서 집어내며, 불을 붙이는 시늉을 하니 고개를 까닥까닥하여 허락하는 것으로 알고 담뱃불을 붙이었다.

우리 네 자매는 추위로 떨어야 했다. 동생들 셋이 어려 입은 옷 그대로 돈만 챙겨 귀국을 하고 보니 일본 돈은 환전이 되지 않아 휴지가 되고 말았다. 하얀 눈 꽃송이가 휘날리며 당장 급한 것은 어린 우리들 네 자매 의복이었다. 대구에 도착하니 하얀 눈 꽃송이가 휘날리며 우리들은 대구역에서 내당삼거리 푸른 다리까지 걸어서 큰댁에 도착하였다.

큰댁에 도착하고 보니, 9식구가 3칸 초가에 살고 있다. 하루를 쉬고 우리 식구는 고향 고령으로 외가댁으로 가서 어머니의 패물을 처분하여 고령읍 헌문리에 삼간 겹 집에 마당 안에 우물이 있는 집으로 외가댁에서 나와 살게 되었다.

누구나 그 시기에는 삶이 힘들긴 하였으나, 부지런하고 후덕한 아버지와 억척스른 어머니 덕에 우리들은 배고픔 모르고 살았다.

그러나 고모님은 그러지 못하신 것 같았다. 물질적으로는 궁하지 않았으나 정신적으로 많이 힘들어하였던 모양이다.

설 추석 양 명절마다 친정에 오시고 돌아가실 때마다 언제나 가기 싫어하시어 아버지가 타이르며 보내면서 나를 함께 따라가게 하였다.

나는 언제나 고모가 양 명절에 빨리 오기를 가다린다.

고모가 오면 진주로 갈 적에는 나를 꼭 데리고 가기 때문이다. 나는 진주에 가면 호강을 한다.

낮에는 다방과 다과점으로 맛난 것 먹으며 남강으로, 촉석루로, 의장대로, 호국사로 돌아다니며 저녁에는 내가 좋아하는 극장에 영화 구경 연극 창극 보는 재미에 집에 가고 싶다는 생각을 하지않았다.

고모도 나를 보내기 싫어 아버지로부터 연락이 오면 하루만 더 있다가 며칠만 더 하며 못 가게 잡고 놓아주지 않으며 울먹인다.

아버지의 연락이 도착하면 며칠 더 머물다 집에 도착하면, 아버지는 아무런 말씀 없으시나 어머니에게는 항상 꾸지람과 야단을 맞는다.

내가 결혼하고서야 고모부의 사생활을 어설피 알게 되었다

백수건달에 기타만 매고 진주 가수와 어울려 다니면서, 여자관계가 복잡하였다고 했다.

언제나 빨간 넥타이에 하얀 백구두를 신고, 중절모 빼딱하게 쓰고, 다니는 고모부에게 돈을 대어주는 여인들이 4, 5명이 서로 질투를 하며 고모에게 고자질을 하고 물고 싸우니 고모는 아예 시어머니처럼 뒤쪽에 물러나 있다고 하였다.

평소에 친정에 와서 내색을 아니 하시니 아무도 그런 사생활을 모르고 있었다. 언제나 친정에 올 때에는 최신 유행하는 화려한 비단옷을 입고 금은보화 장신구 치장을 주렁주렁하고 오니 우리 집 이웃들은 부잣집 마님으로 알고 있으며 부러워들 하였다. 우리들은 모르고 있었으나 아버지는 대충 어설피, 알고 계셨던 모양이다.

7남매에 귀염둥이 막내로 가족들의 사랑을 독점하든 고모가 시절을 잘못 만나 집안이 파산하고 기우니, 15세 어린 나이에 근로정신대에 끌려가 모진 고생을 하는 막냇동생을 위해 거금을 주고 일본으로 데리고 왔으나 이번에는 정신대에 보내지 않으려고 급히 서둘러 결혼시킨 것이 저의 아버지의 한 맺힌 아픈 가슴이 되었다. 그 무렵에는 아버지로서는 최선으로 알고 결행한 것이 동생에게는 평생에 한을 심어주게 되어 한평생을 동생에게 죄인이 되어 가슴 앓이를 하시며 사셨던 것이다.

내가 자식을 낳고 먹고살기 급급하여 고모의 근황 소식도 제대로 챙기지도 못하고 살고 있다가 한번은 친정에 갔더니, 아버지 혼자 계시었다.

평소에 막내 고모 이야기를 하시지 않으시는 분이 단둘이 있으니 고모님에 관해 이야기를 하신다.

　네가 진주에 다닐 적에는 네 고모가 입을 다물고 말을 하지 않아, 모두 다 고모를 부러워하였지만 네 고모는 속이 썩어 문드러져도 내색도 못하고 혼자 가슴 앓이를 하였다.

　"채서방 한 달에 두 서 너 번 집에 들어오면, 돈은 다발돈 들고 오지만 진주 가수와 함께 기타 매고 한량으로 돌아다니면서, 4, 5명 되는 계집들은 투기로 서로 물고 뜯고 싸우며 끝에 가서는 네 고모한테 와서 고자질하며 울고불고하니 그 속이 어떤 심정이겠느냐?"

　"처첩은 돌부처도 돌아앉는다고 하는데, 네 고모는 참고 기다려 보다가, 열나면 물 한양 동이 계집들에게 쏟아붓고, 소금 한 바가지 뿌려 내몰아 보낸 후에는 한숨뿐이라 하니 네 아비가 죄인이 되지 않았나?"

　"죄는 내가 지었는데 벌은 와 네 고모가 받아야 하느냐? 네 고모한테는 내가 죄인이라. 얼굴도 마주 보기가 힘겨워, 고개를 들지 못하겠다." 하시며,

　"미안하고 불쌍해서, 그 속이 얼마나 쓰리고 아팠을까?"

　"그래도 내 앞에서는 웃으면서 밥을 먹고 일본에서 살 때 함께 네 손목 잡고, 놀러 다니던 이야기를 웃으며 하는 것이 나 속상할까 싶어 죄인인 나를 위해 처신하는 거 보면 내 가슴은 더 미어진다. 차라리 나를 원망이라도 하면, 가슴이 후련하련만 이 아비 네 고모한테는 평생 죄인이다."

　"너라도 잘 챙겨주어라, 잊지 말고 불쌍한 것!." 하시며 아버지 눈가에 이슬이 맺힌다.

아버지는 숨겨두었던 한 많은 이야기를 나에게 한숨 반 눈물 반 쏟아 놓으며 들려주며 하는 말씀은

　"그 시절은 누구나 다 힘들고 어려웠지만, 남에게도 말 못 하는 사정이 누구나 있겠지만 내 자식들보다 네 고모한테는 내가

죄인이라서 더 애연하고 가슴이 아프다."

"너는 서운하게 생각하지 말거라, 너 나이 어려서 칠·팔 남매 동생들 챙기며 이집 살림 도맡아 말없이 살아준 너에게도 미안하고 남들처럼 가고 싶은 상급학교 진학 못 시킨 것을 생각하면 왜 나인들 마음 편했겠느냐? 너한테도 미안하지만 네 고모처럼 가슴이 미어지지는 않는다."

"불쌍한 것." 하시며 마지막 돌아가실 때까지 막냇동생에게 죄의식을 느끼며 돌아가신 저의 아버지! 그때는 아버지의 선택이 최선의 선택이었던 것입니다.

"고모님도 아버지의 선택을 이해하고 옳은 생각이라 여겼을 것입니다."

아버지 돌아가신 장례식에 고모부가 참석을 하지 않아 고모에게 왜 혼자 왔느냐 물어보니 "염치가 없어 못 온다."라며 오시지 않았다

"저도 인간이니 알아서 하겠지." 하시며 고모는 입을 다무신다.

아버지 삼우제 날에는 백설이 하얗게 내려 뫼봉에 하얀 이불을 덮어 햇살에 반사되어 눈이 부셔 황홀경에 넋을 잃고 바라보고 있었다. 고모가 내 곁에 다가오더니

"오빠는 평생 남을 도우며 나쁜 말 하지 않으며 불쌍한 사람들 도와주며 챙겨 주더니 하늘에서 복을 주시나 보다." 하시며 나를 꼭 껴안으시며

"김실아! 나도 이제는 오빠를 보내 주어야 되겠지?" 하신다.

"예. 고모님. 이제는 과거는 다 잊고 마음 편하게 사세요. 동생들 효도 받으면서 즐겁게 사세요." 하였더니

"김실아! 고맙다. 네가 나한테는 버팀목이었다." 하시며 나를 힘주어 껴안기에 나도 고모를 힘주어 껴안고 고모부에 대해 안부를 물어보았다.

"제 버릇 개 주겠나? 그래도 많이 변했다." 하시며 이제는

"자식들 보기가 민망하니, 개과천선한 거지." 하시며

"이제는 집에 들어오지 않은 것이 나에게 도움이 된다." 하시며 한숨을 쉬신다.

고희도 지나신 분이 아직도 백구두에 빨간 넥타이를 매고 다니신다고 흉을 보신다. 삼우제도 지나 각자 모두 자기들 집으로 떠난 후 나도 집으로 돌아와 생활에 분주하던 중 큰동생에게서 전화가 왔다.

"왜 무슨 일이야? 무슨 일이 있느냐?"

어제 헤어져 집에 왔으니 너무 놀라워 다그쳐 물어본다. 동생의 대답은

"왜 그리 놀라시나요?" 하며 느긋한 대답이다.

진주 고모부가 오늘 아침에 전화로 내일 삼거리에서 내려 전화를 할 것이니 그리로 오라는 전화가 와서 "예" 하고 얼떨결에 대답은 하였으나 장례식에 오시지 않은 것이 서운하여 마음이 개운하지 않았다며

"어쩌면 좋을까요?" 하며 묻는다.

"그래도 어른이시다. 정중히 모시고, 자네가 할 도리는 다 하여라. 고모님을 생각하여... 조심스레 대하여라." 하며 전화를 끊었다.

다음날 그래도 어른의 영이라 볼일을 미루고 기다리니 삼거리에서 내렸다며 전화가 와서 차를 몰고 삼거리로 가니 얼굴도 모르는 고모부가 차에서 내리는 나에게 먼저 말을 하기에

"성태입니다." 하며 고개를 숙여 인사를 하였더니,

"바쁠 텐데 시간을 내어주어서 고맙네. 제물을 준비하였는데." 하시기에 곁에 박스를 싣고 차에 올라

"아버지에게 다녀왔습니다." 하며 동생이 전화로 산소에 다녀온 이야기를 전해준다.

제물을 준비까지 해오셨는데 고모님이 해주셨는지 고모부가 직접 준비를 하셨는지 물어보지 않았다고 하였다. 제물을 차리

며 눈물을 보이시드니 잔을 올리며,

"형님! 제가 잘못 살았습니다. 죄송합니다. 용서는 빌지 않겠습니다. 용서하지 마십시오," 하며 울기 시작하더니 계속 그 소리만 되뇌며 우시는데 남자가 그리 오래 우시는 것 첨 보았습니다. 어찌나 슬피 우시기에 말려보지도 못하고

"나도 함께 울었습니다. 장례식 때 못 운 울음을 함께 실컷 울었습니다." 하하하며 웃으며

"집에 잠깐 들렀다, 점심 식사라도 하시고 가셔야지요?" 하고 말씀드렸더니

"내 무슨 염치로 처가에 들여 처서씨를 뵐 수 있겠는가?, 자네에게도 면목 없네. 시간 내어 오늘 나를 도와준 일과 형님 은혜는 내 평생 잊지 않을 것이네, 고맙네." 하시며

"어차피 사람 노릇 못 한걸. 이제와서 무슨 염치로" 하시며 점심 사양을 하시며

"면목 없지만 자네에게 고마운 마음은 내 평생 잊지 않을 것이네." 말만 반복하셨다.

아버지 돌아가시고 2년 후에 어머니 병환 중이라 연락을 받고 친정에서 어머니로부터 고모님 돌아가셨다는 소식을 듣게 되었다. 한평생을 험난한 세파에 휘둘리시다 몸고생 마음고생만 하시다가 이승을 하직하신 고모님의 환영을 더듬어보며 고모의 애창곡 남인수의 '고향이 그리워도'를 입에 달고 다니며 흥얼거리는 고모의 모습을 더듬으며 나도 이 글을 쓰며 '고향이 그리워도'를 한 번 불러 본다.

모진 풍상에 불운한 시절에 한 많은 운명을 살다 가신 고모님을 가시는 마지막 길에도 뵙지 못한 질녀가 되었습니다. "죄송합니다. 고모님의 명복을 빕니다!"

9 아버지의 꽃 선물

아버지 돌아가시고 강산이 세 번 변하고도 2년이 지나도록 한 번도 찾아뵙지 못했다.

내 삶이 고달파 아버지를 찾아뵙지를 못하고 살다가 아이들이 성장하여 삼 남매 제각각 갈 길 떠나고 보니 조금 여유로움에 몇 년을 미루고 미루다 올해에는 꼭 찾아뵈어야겠다고 결심하며 막내 동생에게 전화하여 올해 묘사에 갈 적에 함께 가자며 연락을 하여 2013년 11월 17일 아버지를 뵈러 갔다. 너무도 오랜 세월이 흘렀다.

산은 옛 산이나 주위 환경이 많이 변했다. 승용차가 산 입구에서 산 중앙까지 오르며 아버지 산소 입구까지 올라간다.

산소 입구에 옛날에 없던 비석이 서 있다. 가까이 가서 보니 창녕 황 씨 봉교 공파 후손들 모두 사후에 선산으로 오도록 종산 절반을 벌목하여 대형 운동장 넓이에다 공원처럼 해 놓았다.

동생은 묘사 지내는 곳으로 보내고, 혼자서 아버지 산소에 오르니 뫼 봉에 자주색 할미꽃 한 송이와 노랑 뱀딸기 꽃 두 송이가 활짝 피어 나를 반긴다.

꽃을 보는 순간 내 눈에서 눈물이 앞선다. 생전에도 큰딸이 안쓰러워 노심초사하시더니 큰딸이 올 것을 아시고 꽃 선물을 준비하셨던 모양이다.

자상하고 인자하신 성품에 큰딸을 안쓰러워하시던 모습이 눈에 아물거린다.

나는 팔 남매의 맏이로서 11살 어린 나이에 동생들을 챙기며 집안일을 도맡아 해야 했다. 해방이 되고 귀국하여 가난한 살림에 어머니는 먼동이 트면 행상을 나가시고 집안 살림은 나에게 맡기셨다. 그것이 안쓰러워 아버지는 부엌 앞에 우물물도 길어 부뚜막에 갖다 놓으시며, 아궁이에 불도 지펴주시고 내가 하는 일을 수시로 도와주시는 애정 많고 부지런한 분이셨다.

생전에도 꼼꼼히 챙겨 주시던 아버지의 가르침대로 아이들 삼 남매 반듯하게 자라 남 해치지 않고 공직에 취직하여 예쁘게 살고 있음을 알리고 꽃을 만지며 앉아 옛날 어린 시절에 하던 버릇대로 응석으로 삶의 애환과 굴곡 많은 세월도 아버지의 가르침대로 자식들 반듯하게 교육하였음을 알리고 일어선다.

햇살은 따듯하나 산바람이 차가워 하직 인사 올리고 혼자 하산하여 내려오니 만감이 교차한다.

재실에 내려와 국밥 한 그릇 먹고 있으니 묘사 끝내고 모두들 내려와 국밥 한 그릇씩 비우고 서둘러 인사 차릴 여유 없이 떠나기 바쁘다.

전국에서 새벽에 조상들을 잊지 않고 찾아와 묘사에 참여해 준 효심들이 고맙고 감사하며 헤어지기 서운한 마음도 있었다. 우리 삼 남매도 차에 오르며

"나! 오늘 아버지가 꽃 선물 주더라." 하였더니

"웬 소리냐?" 하며 두 동생이 눈을 치뜨며 놀라며 묻는다.

"아버지 뫼 봉에 자주색 할미꽃 한 송이와 노랑 뱀딸기 꽃 두 송이가 활짝 핀 세 송이 꽃을 선물로 주시더라." 하였더니 막내가

"봄 제철에도 할미꽃 보기 어려운데 이 겨울에 웬 할미꽃이냐?"

하며 의아해한다. 농담 잘하는 큰동생이

"우리 큰 누님 앞으로는 좋은 일만 있을 것이니 앞서 축하 인사합니다." 하여 삼 남매가 즐겁게 한바탕 웃으며 차에 오른다.

오는 길에 친정에 들려 어머니를 뵙고 설날에 다시 오겠다는 약속을 하고 돌아왔다.

아버지의 꽃 선물을 받은 이후로 작은아들이 행자부 장관상을 받았으며, 사위가 대통령상을 받아 가문에 영광스러운 일이며 나에게도 황혼에 큰 상은 아니지만 여러 번에 영광도 있었으니 이 모두가 아버지의 보살핌이라 생각하게 된다.

산소를 다녀온 후로는 더 그립고 뵙고 싶다.
아버지의 딸로 태어나 살게 해주셔서 고맙습니다.
부끄럽지 않은 딸로 살아갈 것을 다짐합니다. 아버지!!!

2013년 11월 17일

10 앞서 떠난 동생들

내 나이 7세에 셋째로 태어난 남동생이 폐렴으로 앓고 있는 남동생의 병간호로 여의사가 하얀 가운을 입고 왕진 가방을 들고 인력거에서 내리는 여의사가 어린 나의 눈에는 천사처럼 예쁘고 높은 사람으로 보여 나도 이다음에 어른이 되면 의사가 되겠다고 부러움에 마음 다짐을 하였다.

태어난 지 백일도 되지 않은 동생은 의사의 보살핌도 어머니의 정성도 모르는 채 두 누나를 두고 하늘나라로 가버렸다.

다음 해에 셋째로 여동생 민자가 태어나고 이년 후에 넷째 여동생 연자가 태어났다.

이듬해 1945년 해방이 되어 우리 식구는 서둘러 귀국을 하였다.

해방이 되자 일본사람이나 한국 사람이나 감정이 격해지며 눈길이 곱지 않아 우리들은 두려워 서둘러 집과 가재도구를 두고 현금만 챙겨 암표를 구해 늦은 가을에 귀국을 하였다.

귀국을 하고 보니 일본 화폐는 환전이 되지 않아 휴지가 되어버리고 어머니의 패물을 팔아 고령읍 헌 문중에 삼 칸 초옥 겹집에 마당에 우물이 있는 집을 사서 안착을 하였다.

이듬해에 여동생 다섯째가 태어나고 (지금은 이름도 기억에서 사라지고 없다).

어머님은 11살 어린 나에게 동생들 수발과 집안 살림을 맡기고 새벽 먼동이 트면 행상을 나가고 내가 일어나면 어머니는 언제나 아침에는 집에 계시지 않았다. 서둘러 아침 밥해서 동생들 먹이고 설거지는 대충 하고 순옥이를 데리고 학교로 달려가야 했다.

내가 오전수업 끝나고 집에 올 때까지는 셋째 민자가 넷째 연자를 돌보았다.

아버지는 채소밭을 사서 채소를 파시고 남의 품팔이도 하며 온 식구가 억척스러운 삶을 살던 시절이었다. 그다음 해에 여섯째 여동생 순미가 태어났다. 우리 집은 딸 부자 6자매가 되었다.

어머니는 무슨 연유이신지 새벽 4시 예배당 종소리만 울리면 일어나 세수하고 나가신다.

한 달포가 지나 내가 알게 된 사실은 아들을 얻기 위해 절에 새벽 백일기도를 시작하며 음력 초하루 보름날에는 눈이 오나 비가 오나 휘천강 용왕님께 기도하며 새벽 기도가 끝나면 바로 절에서 행상을 나가시는 억척스러운 삶을 사셨던 것이었다.

어머니의 기도에 부처님도 용왕님도 감읍하시었던지 일곱째에 남동생 용태가 태어났다.

1949년 12월 25일 남동생 용태가 태어났으나 어머니의 노산인지 과로의 탓인지 영양실조인지 젖이 나지 않아 내가 암죽으로 내 등에서 자란 남동생이다. 젖은 먹어보지 못하고 암죽으로 자랐으나 건강하게 병치레 한번 없이 잘 자라주었다.

1950년 6·25사변이 일어나 소란스러운 와중에 다섯째가 설사를 계속하더니 우리 곁을 떠나고 일주일 후에 읍민 전부가 피란을 가야만 하였다. 피란 중에 순미가 또 피란 중에 자주 설사를 하며 배가 아프다고 하였으나 동란 중에 약도 구하지 못하며 쑥뿌리 즙을 내어 연명하다 수복 후에 집으로 돌아와서 삼 일 후에 우리 곁을 떠났다.

1952년에 둘째 남동생 성태가 태어나고 1954년에 셋째 남동생 근태가 태어났으며 내가 1957년에 결혼하였고, 여동생 영숙이가 태어나 첫돌 지나 하늘나라로 떠났다.

1959년 5월에 내가 첫아들을 두었으며 3개월 후에 어머니가 막내 넷째 남동생 용팔이가 태어났다.

큰 동생 용태는 무병하게 잘 자라 부모에게 효심이 각별하였으며 동네 어른들에게도 예의 바르고 노인들이 짐을 들고 가는 것을 보면 뛰어가 짐을 받아 집까지 갖다주어 이웃 어른들도 기특하게 여기며 너무도 착하여 주위에서 칭찬들이 자자하였으며 형제들에 우애도 각별하여 부모님의 근심을 덜어주었다.

대구 농고를 졸업하고 덕곡 면서기로 발령을 받아 일년 근무를 하고 휴직계를 내고 자원입대를 하여 강원도 홍천에서 군무하다 첫 휴가 날짜가 적힌 첫 편지가 집에 도착하였다.

동생이 첫 휴가 온다는 날이 정초라 온 가족이 모여 기다리는데 온다는 사람은 오지 않으며 전사 통지서가 날아들어 부모님을 혼절시켰다.

부모님의 처절해 하시는 모습은 뵙기가 힘들었다. 지금은 전시상황도 아니다. 전사라니 이런 참담한 일이 있을 수가 있을까? 무엇이 잘못된 것일까? 믿기지 않은 사실을 믿어야만 했다.

전사통지서를 받고 나니 아득한 옛날 동생이 세 살 무렵 마당에서 놀고 있는 동생을 물 마시러 들어오던 스님 한 분이 보더니 "이 집에 효자 아들을 두었네." 하시며 "그러나 명이 단명이니 이 일을 어이할꼬?" 하시며 물 한 바가지 마시고 나가신다.

당시에는 나는 무슨 말인지 몰랐으며 예사로 듣고 넘겼다. 그당시에는 우리 집 마당에 우물이 있어 이웃집 주민들과 지나다니는 사람들이 우물물을 이용하러 많은 사람들이 드나들고 있었다. 나는 스님의 말씀은 완전히 잊어버리고 생각지도 못했다. 전사통지서를 받고서야 생각이 난다.

부모님과 서울에 살고 있는 제부가 부대에 가서 확인을 하고 장례식에는 우리 부부도 참석하였으며 동생은 동작동 국립묘지에 안장하여 잠들어 있다.

셋째 민자가 당뇨로 몇 해 고생하더니 자녀 삼 남매 결혼은 다 시켰으나 산수가 가까운 두 언니를 앞질러 먼저 가버렸다.

아버지 72세에 가시고 어머니 세 아들의 지극한 효심에 97세의 천수를 누리시다 가셨다.

먼저 떠난 동생들에게 회한이 어찌 없을 수가 있을까 마는 모든 것 다 잊어버리고 생각을 하지 말아야지 별수가 없지 않은가

미수의 나이가 되어가니 앞서간 동생들이 뇌리를 스치며 눈앞에 아롱거리니 어인 일인지 마음이 심란하다.

2020년 설 지나 2월 7일 어머니 기일에 세 자매 친정 나들이에 제주 한 잔씩하고 삼 형제 동생들 부부 다 모여 희희낙락 즐기며 시간을 보낼 수가 있음도 살아있어 즐거운 것임을 알겠다.

매스컴에서는 중국 우환에서 건너온 세균 코로나로 인해 요란스러우니 빨리 집으로 돌아가야겠다. 우리 세 자매 우리 집에서 하루 쉬어가면서 이 세상에 살아있어 호호 하하 즐기면서도 헤어질 때는 서운함에 동생들은 뒤돌아보며 아쉬움을 남기고 두 동생은 떠나고 혼자 적막강산 집안에 나 홀로이다.

TV에서는 코로나19로 인해 방송국마다 요란스럽다. 기저질환을 가진 늙은이라 두려워 문 바깥 출입을 삼간 지도 오래다. 코로나는 전 세계로 세를 확장하여 뻗어 나간다니 우울한 심기를 건드린다.

당뇨로 고생하던 셋째가 떠난 지도 여러 해가 되었다. 미수의 나이가 되어가니 모든 것이 허허로와서인지 앞서간 동생들이 왜 눈앞에 아른거리는 것일까?

여태 잊고 살고 있었건만 요즘 들어 돌아가신 부모님과 먼저 간 동생들이 눈앞에 아른거림은 웬 연유인지 모르겠다. 공연히 마음이 심란하여 과거를 뒤돌아보게 한다.

2020년 2월 10일

11 추억의 음식 송기떡

오래전 소녀 시절 외가에 가면 외할머니는 나에게 언제나 수수 빛 고운 송기떡을 해주신다. 송기떡이 소나무 향이 나면서 쫀득쫀득 맛도 있으나 수수 빛이 고와서 나는 송기떡을 좋아했다.

여주 이씨 종가에는 5대까지 아들만 두고 딸이 없었다. 6대에 어머니가 종손으로 태어나 첫 외손주로 내가 태어났으니 외증조부모님과 외조부모님과 세 분 외삼촌의 사랑이 금지옥엽이었다.

그 무렵 우리나라 백성들은 대동아전쟁으로 인해 초근목피로 연명하던 때이다.

곡식과 쇠붙이의 공출과 남자들은 징병과 보국대란 이름으로 끌려갔으며 여자들은 근로정신대로 또한 정신대로 끌려가며 소나무에 송진까지도 공출이란 명목으로 수탈당하던 시대였다.

우리 백성들의 고난과 핍박은 상상도 하기 어려운 고난을 극복하며 연명하던 때였다.

그 어려운 시기에 어른들은 끼니를 걸어가면서도 잔손 많이 가는 소나무 속 껍질을 준비하여 두었다가 손녀가 좋아한다며 힘든 내색을 않으시고 콩고물 터벅터벅 묻혀 송기떡을 외갓집 갈 때마다 해주신다.

손녀 사랑이 얼마나 대단하기에 성가시다 않으시고 해 주셨는지....

내가 이제 할머니 나이가 되어 할머니의 손맛과 손녀를 사랑하시든 따뜻한 품 안이 그리워 고마움을 알게 되어 외할머니를 그리워한들 할머니는 돌아가신 지 이미 50여 년이 지났다.

너무나도 불효한 손녀를 나무라 주십시오. 외할머니 수수 빛 고운 색깔만 보아도 할머니 모습이 떠오릅니다. 뵙고 싶습니다. 외할머니!

할 일 없이 무정한 세월에 옛 추억을 떠올리며 시간을 보내다 보니 외할머니의 송기떡 생각이 그리워 할머니의 자애로운 품이 그립습니다.

지나간 세월의 옛 추억을 떠올리며 시간을 보내다 보니 외할머니의 송기떡 손맛이 그립다. 오래전 추억의 음식 중에 잊지 못할 음식이다.

주추 빛 고운 색만 보면 외할머니 생각이 더 그립다. 할머니 손맛이 더 그리워진다.

2장 나의 선택

1 무궁화

무성한 녹음의 계절이 되니, 햇살은 뜨거운 열을 내 풍기며 무궁화 나무 짙푸른 숲을 이룬다.

짙푸른 초록 잎 사이로, 무궁화 꽃봉오리 봉긋봉긋 입 내밀 드니 청아한 예쁜 얼굴들 쉴 사이 없이 연이어 꽃을 피운다.

무궁화 만개하여 피어나니 아득한 옛날 내가 살던 집이 그림으로 그려진다.

마을은 고령군 쌍림면 매천동이란 시골마을이다. 22살 새색시로 그 동네로 시집을 갔던 집이다.

마을은 야트막한 산 아래 생선 갈치처럼 길게 집들이 누워있으며 마을 앞에는 가야산에서 내려오는 맑은 청정수 봇도랑 물이 마을을 휘감고 흐른다.

내가 신행으로 갈 무렵이 초겨울이라 앞집 울타리는 탱자나무 울타리로 억센 가시 사이에 노랑탱자 열매가 나를 반기듯 동굴동굴 예쁜 얼굴을 내밀며 반겨주며 내 시집 울타리는 무궁화 나무 울타리로 잎은 모두 떨어지고, 앙상한 나뭇가지만 바람에 흔들리며 참새떼가 모여들며 술래잡기를 하는지 폴폴 날아다니며 짹짹거리며 울적한 내 마음을 달래준다.

매서운 바람이 아니어도 집 뒤에 시누대(가는 대나무)는 사시사철 사그락거리며 흔들려 쉼없이 노래를 부른다.

남편이라는 사람은 군대복무 중이며 시집 식구들은 모두 생면부지 낯선 사람들이라 정붙일 곳 없는 처지에 주위에 운치 있는 환경에 위로받고 살던 시절이었다,

마을이 음지 마을이라 아침을 먹고 나면 굴뚝새는 어디에 숨었다 날아 나와 지저귐으로 무궁화 나무 사이를 날아다니며 술래잡기를 하며 가녀린 소리로 삐 삐 삐 노래를 불러 내 눈과 내 귀를 즐겁게 해준다. 그 시절에는 눈도 많이 내려 겨우내 무궁화 나무와 탱자나무에 하얀 눈꽃이 계속 피어있다. 자주 오는 눈이 녹을 사이 없이 눈꽃을 피운다.

　따뜻한 봄바람이 불어오면 탱자나무 눈 틔울 준비가 바쁜 듯 가시 사이에 하얀 꽃을 피우기 시작한다.
　탱자꽃이 초록 새끼를 잉태하면 무궁화나무 잎 튀울 준비가 바쁘다.
　초록 잎 무성하면 따가운 햇살 열 오르면 무궁화 꽃봉오리 보이기 시작하며 연달아 만개한 꽃송이 계속 피어 끈질기게 핀다.
　무궁화꽃은 낙화하는 모습도 단아하고 깔끔하다.
　꽃이 낙화하여도 한 송이 한 송이 돌돌 말려 나무 밑에 떨어지니 주위가 깨끗하다. 화려하고 향기 짙은 꽃들은 낙화한 모습은 볼품없이 추하고 주위가 산만하나 무궁화는 그렇지 않다.

　요즘 대곡 아파트 단지 옆 복개천 옆 둘레 길에 무궁화나무를 심어 청아한 꽃을 보니 옛날 시집에 무궁화 울타리 나무를 생각하며 아름다운 풍경화를 대하듯 계절 따라 음미하는 멋도 선조들의 운치에 생활 공간을 느끼며 추억을 더듬어보며 우리의 무궁화 꽃을 예찬해 본다.

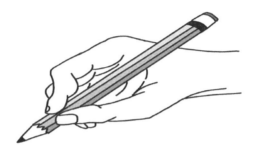

2 문학소녀의 꿈

내 나이 열 살에 해방이 되어 전 가족이 귀국하여 다음 해에 다시 초등학교에 다녀야 했다. 일본에서 가지고 온 일본 돈은 환전이 되지 않아 휴지가 되고 열한 살 어린 나에게 어린 동생들과 집안 살림을 나에게 맡기고 부모님은 행상을 나가시어야만 하였다.

국내에 있던 백성들도 끼니 거르는 일들이 예사였다고 한다. 11살에 다시 학교에도 가야 했다. 부모님은 새벽 일찍 행상을 나가시고 어린 나는 아침 밥해서 동생들 먹이고 어린 셋째 민자에게 넷째 연자를 맡기고 둘째 순옥이를 데리고 학교로 달려가야만 하였다. 나와 둘째가 학교에 가고 없으면 셋째 민자가 넷째 연자를 돌보았다.

4시간 수업이 끝나면 달려서 집에 들어오자 동생들을 씻겨 함께 점심을 먹고 빨래한다. 그러니 등교하는 날보다 결석하는 날이 더 많아졌다.

일학년 담임이신 박선생님은 성만 기억하며 함자는 기억하지 못해 죄스러워 용서를 구하고 싶은 심정이다. 선생님께서는 내가 결석을 하는 날에는 저녁에 선생님 댁에 와서 배우라고 하시어 철부지 나는 선생님 댁에 드나들면서 선생님 어머니의 사랑과 귀여움을 받으면서 선생님에게 많은 도움을 받으며 신세를 끼치었다.

선생님의 도움으로 1학년이 지나 2학년이 될 무렵 선생님께서 나를 부르시며 공책 열 권과 연필 한 다스를 내 손에 쥐여주시며 선생님은 "우리나라를 지키는 군인이 되기 위해 군에 가니 어떠한 어려움이 있어도 공부를 그만두면 안 된다." 하시며 헤어진 것이 마지막으로 다시는 뵐 수 없는 은사님이시다.

6·25동란 중에 전사하시었으며 2학년 담임선생님은 이장호 선생님, 3학년은 월반하여 4학년 수업으로 담임이신 신오룡 선생님의 은혜 입어 졸업을 할 수가 있었다. 가난한 형편에 그 사이 여동생 하나가 태어나 동생들은 어리고, 아버지는 걸핏하면 학교에 찾아오시어 나를 퇴학을 시켜 달라고 찾아오시면서 선생님이 아버지에게 애원하시며 퇴학은 안 된다고 완곡히 거절을 하시었다. 신 선생님께서 결석은 하더라도 퇴학은 아니 되며 월사금도 선생님께서 대납을 하시면서 나의 퇴학을 말리시며 아버지에게 애원하시고 나를 도와주신 은사님이었다.

보은의 인사도 드리지 못하고 6·25동란 며칠 앞두고 우리 경찰에 의해 사살되시었다. 나의 초등학교 생활은 결석 반 조퇴 반으로 삼학년은 월반하여 사학년 수업으로 들어가 사변 다음 해에 1951년에 졸업을 하였다.

졸업과 동시에 연필은 내 손에서 영원히 떠났다. 부모님을 설득하여 진학할 형편이 아니 되어 나 스스로 잘 알기에 포기를 하고 독서로 눈을 돌려 많은 책을 읽다 보니 진학한 친구들이 부럽지 않았다.

사변 이후로 고령읍에도 새로이 건물을 세우다 보니 책방이 생겨 책을 팔면서 책을 빌려주기도 하였다. 책 한 권에 20원인지 2원인지 기억은 확실치 않으나 심 훈의 소설 은하수와 이광수의 소설 흙을 빌려와서 읽어보니 재미가 있었다. 부모님이 보시던 고전과는 많은 차이가 있었다. 두 번을 읽어 본 후에 반납하며 김내성 작품 청춘극장 1·2권을 빌려와 보고 나니 너무도 재미가 있었으며 줄거리가 궁금하여 2권을 반납하여 3·4·5권 한 질을 보고 나니 흥미로움에 소설책에 심취되어 밤을 새워다 보

니 어머니의 극성이 예사롭지 않았다,

　사변 전에는 삼 칸 초옥이었으나 우리 집은 전깃불이 들어와서 사용하였으나 사변 후로 읍 전체가 폭격으로 전기시설이 되지 않아 석유를 됫병에 한 되 씩 사다 호롱불을 켜고 책을 보니 기름값 많이 든다며 어머니는 야단을 치신다. 기름 살 때마다 어머니와의 다툼이 생겼다. 어머님도 이해하시면서도 돈이 궁하면 역정을 내시며 야단을 치시며 나무라신다.

　책 빌려 보려고 부모님에게 매번 손 벌릴 수가 없어 16세에 시집가는 언니들의 흰대보, 책상보, 방석, 베갯모 같은 혼수품을 십자수와 동양자수를 놓아주면 돈을 주기에 낮에는 수를 놓으며 밤에만 독서하기로 마음을 굳혔다.

　김내성 원작 청춘극장 5권 한 질을 시작하여 인생화도, 애인, 자유부인, 진주, 탑 모두 탐독하였으나 김내성 사후에는 정비석의 고향 산천 김동인의 운현궁 심훈의 상록수를 빌려 왔다. 어린 동생들을 돌보며 이 집 살림 도맡아 하며 밤에만 책을 보는 딸을 아버지는 눈감아 주셨다. 조부모님 제사 때마다 아버지는 대구의 큰댁에 가신다. 큰댁에 가시어 가족들에게 우리 모녀 석유 기름 값 전쟁 이야기를 하셨던 모양이다. 그다음 주말 토요일에 동갑내기 사촌 동생이

　"누이야 내가 왔다." 하며 대문에 들어서기에

　"방학도 아닌데 웬일이야?" 대구대에 다니는 나와 동갑내기 사촌 동생이 톨스토이에 안나 카래리나 라는 번역 책을 가지고 와서 독서를 열심히 하라며 권한다. 그렇게 시작으로 톨스토이 토스트예프스키, 셰익스피어의 외국 번역소설과 신세계, 사상계, 학원 같은 잡지를 한 권씩 곁들여 눈이 오나 비가 오나 매주 토요일마다 가지고 와서 독서를 권하며 고령 오는 것을 즐기는 동

갑내기 사촌 동생 덕택으로 많은 책을 읽을 수가 있어 진학한 친구들이 부럽지 않았다.

당시에 세 분의 번역소설은 다 읽어보았다는 생각이 든다. 그러다 결혼과 더불어 독서마저 내 손에서 떠났다.

많이 배우지 못하고 물려받은 재산 없는 삶은 억척스러운 삶이었다. 그사이 아이들은 삼 남매가 되어 예쁘게 잘 자라 저이들 길 찾아 떠나고 곁의 남편도 이승을 떠나 이제는 할 일 없는 늙은이가 되어 도서관을 전전하다 달서 노인 도서관에 들였더니, 최덕환 선생님께서 편지글 몇 줄 써 달라시며 원고지를 내 앞에 펼쳐 놓으시며 "편지글 몇 줄만 써주세요." 하신다.

65년이란 긴 세월 동안 연필 한번 손에 만져 보지 못하고 살아 너무 황당하여

"저 편지 쓸 때가 없는데요?" 말씀드렸더니 "아무에게라도 좋으니 몇 줄만 써주세요." 하신다.

"편지 쓸 때는 없고, 우리 아이들에게 내가 부탁하고 싶은 말 몇 줄 써도 될까요?" 하였더니

"그것도 괜찮습니다." 하시기에 몇 줄 써 드린 것을 최 선생님께서 달서구청 편지글 응모에 보내어 최우수상의 영광을 주시여 '가방끈이 없어도 글을 쓰면 되는구나.'라는 생각이 들어서 남의 글만 읽을 것이 아니라 내 글 한번 써보고 싶은 욕심에 연필을 쥐게 되었다.

65년이 지나 연필로 글을 쓰니 오타투성이며 내가 쓴 내 글을 읽어보기가 쉽지 않다. 산수의 늙은이가 되어 옛날 기억을 떠올리며 연필을 손에 잡고 마음을 굳혀본다. 죽이 되든 밥이 되든 해 보는 것이다. 하다 하다 아니 되면 그만두더라도 시작은 해 보아야겠다는 마음에 결심하였다. 남의 눈치 보지 말자.

한번 시작해 보는 것이다. 쓰다가 쓰다 아니 되면 그만두더라도 시작은 해 보자. 평생에 꿈이 아니던가? 결심을 하며 연필을 쥐고 손에 힘을 주며 결심하였다.

매일매일 읽고 쓰고 하는 반복되는 시간을 즐기니 하루해가 짧게 지나가는 것이 애석하여 열심히 오늘도 쓰고 읽고 하는 시간이 소중하여 서투른 타자를 두드린다.

언제쯤이면 좋은 내 글 한 편 쓸 수가 있을까에 대해 의문이 드나 이 시간이 너무나도 소중하여 오늘도 책상 앞에 앉아 있으니 하루해가 저문다.

3 베트남 여행

구정도 지나 아이들 봄 방학이 되어 가족여행으로 베트남 여행을 다녀오자며 결정이 나서 외손녀가 데리러 왔다. 외국 여행을 3박 4일로 예약하였다고 한다.

여행 다니며 눈요기 구경 다니는 것을 좋아하는 것을 아는지라 사위가 주선하였다고 알려 준다.

구청에 가서 여권을 준비하던 중 내 지문이 말썽이 되었다.

중국에 두 번이나 다녀왔으나 아무런 문제없이 다녀왔다. 두세 번 지문을 찍었으나 지문이 나타나지 아니한다. 오래전 주민등록을 갱신할 때에도 지문이 나타나지 않아 여러 번을 찍은 기억이 있다. 수십 년을 장갑을 끼지 않고 쉴 사이 없이 일하여 열 손가락 전부가 반들반들 지문이 보이지 아니한다.

'고희도 넘기신 어른이라 괜찮겠지.' 하며 베트남은 사회주의 국가라 까다롭다고 하며 구청 직원들이 미안해하며 고개를 숙이며 여권을 내어준다. 그렇게 수선을 벌이다 베트남 여행을 갔었다.

열심히 다니며 생전에 처음 보는 과일도 먹어보며 2박 3일 동안 구경을 잘하였으나 삼 일째 되는 날 선상 식당에서 식사를 하기 위해 하롱베이의 배에서 선상 식당으로 판자를 건너가던 중 판자가 흔들려 내가 주저앉은 사고가 일어났다.

낮에는 별로 통증을 느끼지를 못 하였으나 자정이 넘겨서야 통증이 오더니 진통이 심해 견디기 어려운 통증이 조여 온다.

새벽에 베트남 병원으로 실려 가서 엑스레이를 찍고, MRI를 찍어 응급처치를 한 후 사위 얼굴을 바로 볼 수가 없었다. 민망스러워 야단법석을 치르느라 사위와 딸은 마지막 날 관광은 하지를 못하고 말았다.

병원에서 내어주는 휠체어에 실려 두 손자가 교대로 밀고 다니는 볼썽사나운 관광을 하였다. 나이 생각도 하지 않은 무모한

내 행동에 뉘우쳐지는 계기가 되었다. 이제는 조심을 하며 몸을 사려 신중하게 행동을 하여야겠다는 다짐을 하여 본다.

베트남 여행에서 볼썽사나운 훈장을 하나 달고 휠체어 위에 앉아 귀국하였다.

그 이후로는 아예 여행을 삼가며 나다니는 것을 삼가며 여행이란 단어조차 잊고 살아가고 있는 신세가 되었다. 아~

4 사업을 그만두다

1994년 사업을 정리하여 달 셋 방으로 옮겼다. 아이들 삼 남매 결혼하여 저희들 갈 길 찾아 떠나니 홀가분한 마음으로 여생을 보낼 수 있을 것 같았으나 현실은 그러지를 않았다. 사업을 접으면서 부채를 않게 된 것이 전부 당시의 돈으로 4.400만 원이다. 대구 동구 율하동에 작은 임대 아파트로 이사를 하였다. 빚을 갚기 위해 이사를 한 다음날 일할 곳을 찾아 나서야만 하였다. 한 푼이 아쉬운 때이다.

동촌에 위치한 파크 호텔 중식부에 사람을 구한다는 전단지를 보고 호텔에 찾아가서 일을 하겠다고 하여 그날부터 일을 시작하였다.

기본금 60만 원에 상여금 600% 결정을 하고 두세 달 다니다 보니 주방장과 지배인이 하는 말이 아주머니 자그마한 식당이나 포장마차를 한번 해보면 손님은 자기들이 책임지고 모아주겠다며 나를 꼬드기나 나는 일언지하에 사양을 하였다.

우리 집에는 돈의 그림자만 보이면 훔쳐 가는 도적이 있으니 사양하고 월급날에는 빚을 갚는 날로 내 인생을 걸었다.

사업은 누가 보아도 호황이나 다른 곳으로 돈뭉치가 매일 빠져나가니 나 혼자 감당이 되지 않아 사업을 접고 월급을 받아 생활을 하니, 끼니 제때 먹을 수 있으며 밤잠 제대로 잘 수가 있어 신경 쓸 일이 없어, 몸과 마음이 편하여 즐겁게 일을 할 수가 있었다.

그 당시는 일할 사람을 구하려고 찾아다니며 버스로 모두 출퇴근하던 시절이었다.

백수로 놀고 있는 모습을 본 남편 친구가 "자네 놀지 말고 논공 공단이 신설되면서 많은 사람을 모집하는 때이니, 친구와 함께 다니며 친구가 자네 운전면허증 있으니 중고 승용차 한 대 돈 100만 원 주고 사서 자네 타고 다니며 4명 태우고 그 사람들 왕복 버스비 받으면 누이 좋고 매부 좋지 않겠나?" 하며 꼬드기며 권했던 모양이다.

동구 반야월에서 버스로 논공까지 출근과 퇴근을 하면서도 불편 없이 다니기에 개과천선한 것으로 생각하였다.

한 가지 불편한 것은 집이 협소하여 자식들 삼 남매 모이면 불편하여 옮겨보려고 생각하던 중 달서구 도원동에 영구 임대 아파트 입주자를 모집한다는 신문광고를 보았다.

계약금이나 보증금은 정해 있지 않으며 보증금이 많으면 임대료가 적고 보증금이 적으면 임대료가 많다는 내용이다.

함께 계약하려고 가려다 한 푼이라도 더 벌기 위해 일을 해야겠기에 내가 하루 결근을 하면 3만 원이 날아가기에 혼자 보내며 '이 와중에 설마 다른 짓이야 하겠느냐?' 믿어 1000만 원 보증금을 주어 보냈다.

당시에 파크호텔에는 잔치 예약 손님이 많아 결석한다는 것을 생각할 수도 없었다. 밤 12시에 집에 도착하니 계약서와 영수증은 집에 도착하고 있으나 사람은 어디로 가고 없다.

계약서에 700만 원이 계약되어 있으며 300만 원은 날아가고 없어져 버렸다.

3일 만에 들어와 한다는 말이

"나도 이제부터 가장 노릇 잘 해보려고 봉고차 구입하여 계약금으로 300만 원을 쓰고 보증은 막내 처남이 안고 봉고차 끌고 다니며 내 밥값 낼게. 한 번만 눈 감아도." 하기에 대답 없이 내 가슴 내가 두드리다 또 당하는 어리석음에 나 자신이 미워진다.

언제쯤이면 저 화상 보지 않고 살 수가 있을까? 3만 원 아까워 벌려다 300만 원을 날리었다.

억장이 무너져 할 말도 잃고 그길로 집에서 나와 택시를 타고 낙동강으로 가서 낙동강 뚝에 앉아 울다 강물을 바라보니 무서움에 소름이 돋는다.

만일 내가 죽고 없으면 아이들 삼 남매가 어깃장 놓은 아버지에게 고통을 당할 것을 생각하니 내가 당하는 것으로 마침표를 하여야겠다는 생각으로 다시 택시를 타고 집으로 돌아왔다.

그 이후로 11개월간은 착실하게 봉고차 할부금을 잘 넣어 안심하였더니 막냇동생으로부터 전화가 왔다.

"누님 자형 봉고차 할부금이 3개월 연체되었다고 독촉장이 날아왔습니다." 억장이 무너지나 그러나 동생을 탓할 수 없어

"그래 알았다. 할부금 3개월분 액수가 얼마냐?" 묻고, 다음날 할부금 납입을 하면서 홀로 탄식을 한다.

'그러게 또 속고 말았다. 속고 속으며 사는 세월이 어언 37년'이었다.

그 이후로 자동차 할부금은 또다시 내 몫으로 돌아와서 나를 괴롭혔다.

5 용역회사의 실정

아침에 자고 일어나오는데 "나 죽 끓여주라." 하며 나오기에 밥 안치기 전이라 군말 없이 죽을 끓여놓고 찬밥 한술 물에 말아 먹은 후에 빨래 몇 가지 빨아 널어놓고 조금 이른 시간이지만 출근을 하였다.

아침 9시 출근을 하니 관리소장이 모두 사무실로 모이라고 하여 사무실에 모이니 소장이 앞으로는 아파트 청소는 토지공사에서 관리를 하지 않으며 청소부원들은 용역회사가 관리를 한다고 알려주며 보수도 변동이 되었다고 알려준다.

토지 공사에서 관리하던 청소부는 기본금 60만 원에 상여금 600%에 4대 보험이 된다고 하여 우리들은 아파트 청소를 하고 있었다. 그러다 용역회사라는 것이 처음 생겨 청소부만 용역회사로 넘겨지면서 기본금 40만 원으로 삭감되고 상여금은 일제히 없어지며 4대 보험도 없으니 그래도 일을 할 사람은 남고 싫은 사람은 지금 사표를 쓰라고 전해준다.

누구의 소리인지 상여금은 왜 없어지는가 물으니 용역회사를 차리면서 많은 사람의 인건비와 시설물을 준비하려면 자금이 필요하여 그리되었다고 전해준다.

또 누구인가 내 등 뒤에서 "토지 공사는 정부에서 하는 사업인데 더러운 쓰레기를 만지며 살아보겠다고 최하위 노동자의 봉급을 착취하는 나라가 다 있나? 목구멍이 포도청이라. 에이 빌어먹을." 하며 울분을 터트린다. 나는 그 자리에서 사표를 쓰고 일어서 나오면서

"이달 급여는 며칠날 나옵니까?" 하고 물어보았더니

"나가시며 사무실에 들려 받아 가세요." 사무실에 들려 월급을 수령하고 나오며 가톨릭 병원에 다니는 친구에게 전화하여 청소부 빈자리 나오거든 알려 달라고 전화하였더니 "나 여기 일 그만두기로 하였다." 면서 자리는 있을 것 같으니 이력서 넣어

보라고 한다.

"왜 그만두느냐?" 하고 물어

"돈 없고 배운 것이 없으니 나라에서도 하급 인생으로 천시를 하는구나. 스스로 뉘우쳐진다."

"나 더러워서 그만둔다. 저 위에 높은 양반이 가만히 앉아서 돈 벌려고 큰 건물 회사 건물 병원 관공서 큰 건물에 청소하는 최하급 민초들의 봉급을 쪼개어 용역이라는 회사를 차려가지고 관리를 하다 보니 그리되었다고 안하나. 열불이 나 죽겠다 그만 끊어라." 하며 전화를 일방적으로 끊고 나 역시 수화기를 놓으며 전화를 끊으며 울화가 치민다.

돈 없어 배우지를 못한 서민이지만 이러한 천대를 받아야 하는 것인가? 울화통이 치민다. 한 권력자가 돈 많고 많이 배운 사람들의 돈을 착취하면 골머리 아프니 최하위 청소부들의 봉급을 잘라 회사를 차려 그 돈으로 편하게 먹고 잘살아보려는 사람이 있다고들 전해졌다.

6 울주 반구대 암각화 견학

2015년 5월 29일 실버대 인문 학반 학우들이 두 번째로 울진 암각화 박물관을 거쳐 동해 바다 대왕암 울산공단 지역을 둘러보는 견학을 가는 날이다.

싱그러운 산천초목 녹음 우거진 청명한 초여름 우리 실버들은 버스에 오르며 나이는 아랑곳없이 즐거움은 젊은이들 못지않아 모두들 흥분에 들떠 희희낙락 법석을 떨면서 목적지까지는 그런대로 모두들 얌전하게 앉아 갔다. 나는 어떠한 차를 타던 창문 쪽으로 가려서 앉는다.

차에 오르면 차 창밖 그림 구경을 즐겨 차내의 어떠한 소란에도 관심 밖의 일로 흥미가 없다.

지금쯤이면 누런 보리 이삭이 바람에 찰랑거리며 춤을 추겠지 생각하며 창밖만 바라보고 있으나 누른 보리도 초록색 풋보리도 눈에 보이지 않으며 넓은 들은 초록색 연두색 무논은 아름다운 조각보를 펼쳐져 있으며 무논에는 이양기로 모내기를 하고 있다.

아름다운 조각보를 연상하는 초록색 논가에 해오라기 가족 6섯 마리가 유유히 먹이 찾아 거닐며 그중 1마리는 외다리로 목을 움츠리고 서서 망을 보고 서 있는 것이 한 폭의 그림이다. 차는 달려 청도 휴게소에 잠시 멈추어 복지관에서 준비한 아침 식사를 먹은 후 다시 차에 올라 목적지에 도착하여 암각화 전시실을 천천히 감상하고 밖에 나오니 산속 풍경도 일품이나 공기가 너무나 상쾌하여 계속 나는 심호흡 운동을 하였다.

모두들 탄성을 지르며 여기에서 놀다가 갔으면 좋겠다며 이구동성으로 소리친다.

우리는 다시 차에 올라 대왕암 휴게소에 각자의 행동으로 대왕암에 가고 싶은 사람만 다녀오며 그 외에 사람은 거기서 쉬었다가 모두 돌아와 다시 차에 올라 진리 휴게소에서 읍천항 파도 소리를 따라 바닷물에 잠긴 부챗살 모양의 주상절리에 기이한 바위를 구경하였다.

파도치는 하얀 물보라에 잠겼다가 드러나는 바위를 바라보고 있는 나에게 곁에 서 있던 친구가 이 꽃 이름을 아느냐고 묻기에 돌아보니 샛 빨간 해당화가 대여섯 송이가 피어있다.

너무나 어여쁘다.

"쓸쓸한 바닷가에 임실은 배는 한번 떠나가더니 돌아오지 않은 임을 기다리다 죽은 해당화가 여기에 피어있네."하며 한 구절 입에 올렸더니

"이 꽃이 해당화꽃이 맞아요." 하며 자세히 들여다보고 있다. 다시 차에 올라 울산 현대 중공업을 돌아 집으로 돌아오는 차 안에는 실버들의 관광이 아니라 묻지 마 관광이 되었다.

노는 것은 나이가 없는 것인지 모르겠다. 하루 기분 좋은 관광 즐겁게 잘 다녀왔더니 노년에도 즐거운 삶에 새삼스레 행복을 느낀다.

두 번의 견학은 우리 실버들에 아름다운 추억의 견학이며 가슴 부푼 즐거운 여행이라 기억에 남은 여행이었다.

초등학교 졸업에 6학년 수학여행도 동란 중에 가보지 못한 나로서는 실버 학생들과 다녀온 여행이 소녀 시절에 수학여행으로 대신하며 마음 설레게 다녀올 수 있는 즐거운 수학여행이 되었었다.

1주에 2번 다니며 결석 없이 열심히 다녀 1년이 훌쩍 지나가 버렸다.

우리들은 학사복을 입고 졸업 사진도 찍고, 11기 작품집 '행로'라는 졸업 작품집도 만들었다.

단 하루 결석 없이 졸업장을 받으니 서울대학이라도 나온 듯 기쁘고 행복했다.

새로운 추억이 되리라고 여기며 내 인생을 새로운 삶으로 마음 다지며 열심히 노력하여 살 것을 마음속 깊이 다짐을 해본

다.

　나이 든 늙은이라 움추려들지 않을 것이며 젊은이들에게 뒤처지지 않은 노년의 삶을 살 것을 다짐하며 열심히 노력하여 꼭 좋은 결실을 볼 것이다.

　이제부터 인생 2막이 시작되는 첫걸음이 될 것이다.

2016년 2월 3일 실버대 졸업

7 은하수

　추적추적 내리는 장마 비로 찌는 듯 무덥던 여름도 뒷걸음을 치는지 아침저녁으로 제법 선선한 가을바람이 성큼 다가서며 따가운 염천도 저만치 밀려나 어깨를 움츠리게 한다.

　인천에 초등학교 일학년에 다니는 손주 등하굣길이 조심스러워 대구에서 인천으로 나는 왔다. 인천 길이 낯설기는 손주 서윤이 녀석이나 나나 매 마찬가지다.

　학원에 간 아이가 어둠이 내려도 오지 않아 밖에서 서성이며 기다린다. 무심코 하늘을 올려보다 내 눈이 번쩍 뜨인다. 수십 년간 보지 못하던 은하수가 내 머리 위에 북에서 남으로 길게 흐르고 있다.

　은하수와 별을 보지 못한 것이 아마도 수십 년도 된 것 같다. 은하수를 사이에 두고 견우와 직녀가 동서에서 마주 보고 있다. 수많은 별들이 쏟아져 내려오듯 눈이 부시다.

　손주가 오는 것도 보지 못하고 하늘만 보고 있으니, 손주 녀석 집에 갔다 나오며 할머니가 집에 없다며 앞집 새댁을 잡고 할머니를 찾으며 울면서 나온다. 손주를 달래며 하늘을 보라며 별과 은하수 이야기를 들여 주며 달랜다.

　"서윤아! 하늘 한번 쳐다 봐라" 내 말에 고개를 들어 하늘을 보며

　"와! 할머니 하늘에 별이 사람처럼 많아"

　"그래. 우리 서윤이 별 처음 보지. 그리고 너 머리 위에 하얗게 고속도로처럼 길게 보이는 것이 은하수란다."

　아이는 모든 것이 신기한지 연신 "와! 와! 별이 저리도 많아. 은하수가 길기도 하다."라며 탄성을 지른다.

　"국자 모양에 별은 북두칠성이고, 국자 손잡이 위쪽에 밝게 빛나는 별이 북극성이다."

　"바다에서 배가 길을 잃으면 길잡이가 되어준다는 그 별이 북

극성 저 별이다.”

내가 아는 별자리 이름을 일러주며, 은하수를 사이에 두고 마주 보고 있는 견우와 직녀 별도 알려주니 배고픔도 잊고 조금만 더 있다 가자며 하늘만 쳐다보며 신기한 듯 집에 들어갈 생각을 아니한다. 하는 수 없이 내일 다시 보자며 집에 가서 저녁 먹고 할머니가 견우직녀 이야기를 해 줄 터이니, 집에 가자며 달래어 본다.

“할머니 내일 친구들 데리고 와서 별 봐도 되지?”

“그래 친구들 학원은 끝마치고, 가방 집에 두고 어머니에게 허락을 받고 와야 한다.”

“할머니 앞으로는 집에 있지 말고 여기 마중 나와 기다리셔요.”하며 별만 올려보며 좋아하는 모습이 대견하다.

대구 하늘에서 서울 하늘에서 보지 못한 은하수와 별들을 인천 하늘에서 내가 본다.

집이 연수구 청량산 아래 바다가 가까이 접한 곳이라 시내보다 공기가 청정하다고 생각은 하였으나 서울이나 대구 하늘이 바다 위의 하늘이 이처럼 많은 차이가 있으리라는 생각을 나는 하지를 못했다.

아득한 옛날 나 어릴 때 고향 집 생각이 떠오른다.

우리 네 자매 마당에 평상 위에 나란히 누워 달이 뜨던 안 뜨던 별을 세며 저 별은 내 별 이 별은 너 별 하며 별을 세며 노닥거리다 잠이 들던 추억을 떠올리며 은하수와 별을 보기 위해 밤마다 어둠이 내리는 청량산을 손주와 둘이 산책을 한다.

손자에게 몇 밤만 더 자면 기러기 가족들이 기럭기럭 울며 은하수를 건너 저희들 고향으로 갈 것이다. 장난삼아 한마디 하였더니 기러기 가족 고향 가는 거 꼭 봐야 한다며 매일 저녁밥 먹고 나면 밖으로 나가 하늘을 쳐다보고 있다.

“둥근 보름달이 밝게 빛나는 밤이 되면 갈 것이다.”하니 손주 녀석

"아아 기러기도 우리처럼 어두우면 길을 잘못 찾는구나." 하며 보름달 뜨면 나와야겠다며

"할머니 보름달 뜨면 나에게 꼭 말해야 해." 하며 집에 가 숙제해야겠다며 집으로 간다. 우주의 변천사며 계절에 변천을 실감하며 인생 허무를 느끼면서 괜히 서글퍼진다.

같은 대한민국 땅이면서도 그리 크지도 않은 나라 아니건만 서울의 하늘에서는 볼 수 없는 별과 은하수를 내가 인천 하늘에서 보게 되는구나.

인천은 바다가 있어 그만큼 아직도 공기가 청정하다는 것을 느낄 수가 있었다. 추위가 오기 전에 아이가 학원에서 돌아오면 저녁먹이고 손잡고 청량산 중턱까지 산책을 한다. 청량산 정상까지 오르지 않아도 중간쯤에서 망망대해 드넓은 바다가 시야에 들어오며 비릿한 해풍이 코끝에 스며든다.

해발 700미터 정상에 오르면 회색 빛 하늘에 수많은 별들이 일렁이는 파도 속으로 잠기며 너울 춤을 추며 대교 난간의 가로등 불꽃과 연안부두의 꽃등이 휘황찬란한 전경이 사람들의 시선을 부여잡는다.

어둠이 묻힌 검푸른 바다 위에 점점이 등불을 밝힌 고기잡이 배들이 유유히 연안부두로 들어온다.

화려하게 불 밝힌 카페리는 부두를 떠나면서도 소음이라 하여 추억에 뱃고동 소리는 들리지 않으며 유유히 멀리 떠나가고 들어오고 있다.

10년 전 인천 하늘을 그려보며 아파트 앞동산에 올랐으나 초가을 쾌청한 하늘에는 초저녁 별 금성 혼자 서쪽 하늘을 지키고, 하늘은 은빛 양탄자처럼 넓게 펼쳐져 있다.

8 장끼의 출현

　베란다 앞 저 멀리 대덕산 정산 위에 붉은 노을이 아름답게 물들면 황금빛 둥근 햇님의 얼굴이 서서히 떠올라 모습을 드러낸다.

　이불 속에 누워있지를 못해 일어나 옷을 챙겨 입고 나의 연병장으로 산책길에 나서면 상쾌한 아침 공기 흠뻑 들이키면서 내 폐부 전체가 정화되는 것 같아 상쾌한 기분에 온몸을 흔들며 즐긴다.

　천천히 연병장에 사열식을 하며 소나무 병정들에게 내 손을 대며 쓰다듬어 주며 보듬어 안아보며 두서너 바퀴 소나무 동산을 돌 때까지는 이른 시간이라 인기척이 없어 등치기를 하며 맨손 체조도 하며 혼자 즐긴다.

　오랜 시간 숨쉬기를 하고 있으면 어디서 날아왔는지 화려한 몸치장을 한 장끼 한 마리가 저만치 앞에서 사열식을 하고 있다.

　여기에서 종종 볼 수 있는 그림이다. 나는 장끼가 와서 산책하면 조금 멀리서 지켜보고 앉아 있으면 장끼는 저 혼자인 양 열심히 산책을 하다 작은 인기척만 있어도 푸드득 소리를 내며 훨훨 날아간다.

　그러면 나는 다시 몇 바퀴 더 거닐다 소나무에 등치기도 하며 낙락 장송 아래서 긴 시간 숨 고르기도 하며 맨손 체조도 하며 한두 시간 거닐다 오면 몸이 한결 가벼워진다. 여기 소나무 동산을 '나의 연병장'이라 이름을 붙였다.

　여기에 낙락장송 소나무는 나에게는 의사요 약사이다. 병원에 다니지 않고 약국에 약 사서 먹지 않아서도 오랜 시간 열심히 다니다 보니 여러 가지 병세가 없어진 것을 알게 되었다.

　3년 전부터 장끼가 찾아오지 않는다. 주위에 대단지 아파트 공사가 시작되더니 요란한 소음과 먼지바람의 공해로 단 한 번도 나타나 주지를 않는다.

　딱따구리 찍빠구리 황조롱이 삐삐 새와 이름도 모르는 새들이 이곳에서 놀더니 요즘은 산 까치와 산비둘기만이 여기에서 가끔 볼 수가 있다.

　화려하게 당당한 모습으로 산책을 하던 장끼가 보고 싶구나.

　지금은 어느 산하에 숨어 있느냐? 한 번쯤은 나타나 반겨줄 법도 하건만 좀처럼 그림자도 볼 수가 없구나. 그리도 당당하던 그 모습을 그리워하며 너를 불러본다. "장끼야".

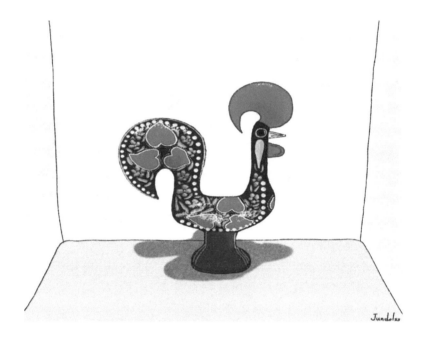

9 지역문화 탐방

복지관 실버 대학생들에게 계명대학 박물관 견학 가는 날이다.

오전 8시 30분에 복지관에 도착하였다. 2개 반씩 한 차에 올라 9시에 차는 출발하여 계명대학교 박물관에 도착하여 전시물 관람을 하였다. 나는 박물관에 미술 공예품들과 고대 생활필수품들은 서울 국립 중앙박물관과 여러 곳에 박물관을 통해 많이 보아서 그다지 눈여겨볼 만한 전시물은 별로 없었다.

그러나 계명대학교 설립자에 대해서는 오늘 처음 알게 되었다. 대학 설립자 안두희 씨는 외국인으로서 우리나라에 미래를 위하여 인재 양성을 위해 교육 사업에 헌신한 고마운 분이라는 것을 알게 되었다.

다음에는 우리 학생들은 지역 문학 탐방을 계명대학교 해소 박물관을 견학했다.

박물관도 현 계명대학교 총장이신 신일희 총장님의 아호를 따서 해소 박물관을 설립하신 것을 알게 되었다. 항상 검소하게 아름답게 살겠다는 뜻으로 해소라는 이름을 붙이게 되었다고 하셨다.

안두희 설립자. 신일희 총장님 같은 분이 계시어 이 나라에 미래가 빛날 것이라 여겨진다.

우리 실버 학생들은 다시 차에 올라 문양 도시철도 기지국을 견학하기 위해 기지국에 도착하여 시설을 둘러보며 놀라움과 감탄사가 연이어 입 밖으로 튀어나온다.

많은 재력과 기술로 우리들이 편히 산다는 것을 느끼며 2211호 전동차에 올라타 첫 시승식을 하는 영광도 누렸다.

과학의 힘! 기술의 힘! 재력의 힘이 함께 뭉쳐 만든 엄청난 시설과 넓이에 놀랐다. 시승식 중에 기지국 직원이 전동차 내부 시설과 비상시에 치러야 할 수칙을 상세히 설명하여 주었으나 나는 청각 장애로 제대로 들을 수가 없어서 건성으로 들어 넘겼다.

기지국이 엄청 넓어 곳곳에 시설물과 기계들을 둘러보는데 나는 약간 피곤을 느꼈다.

기지국 잔디밭에는 온통 민들레의 천국이다. 누가 심은 것인지 저희들 스스로 밭을 이루었는지 드넓은 곳에 민들레가 차지하고 있다. 여기저기 제비꽃도 뒤질세라 군락을 이루어 보라색 얼굴을 치켜 세우며 누운 주름 꽃들도 무리를 이루며 하얀 밥풀꽃을 피우며 모여 여기가 저희들의 낙원인 양 앙증맞은 들꽃들 사람들에 발길에 밟히면서도 의연하게 향기를 풍기며 꽃 잔치를 하고 있는 풀꽃들 모습에 피곤이 싹 가신다.

집으로 돌아오는 차 창밖 그림은 눈을 뗄 수가 없다. 수없이 많은 꽃들이 차창 밖으로 지나간다. 가로수인 벚꽃은 꽃비를 휘날리며 지나가는 차창 밖에 비치는 영산홍 개나리 조팝꽃들도 출렁출렁 일렁이며 춤을 추고 내 눈을 사로잡는다. 맑게 갠 봄날 청잣빛 고운 하늘 아래 오색 찬란한 꽃들의 향연을 즐기니 오늘 하루의 경이로움은 내 눈 호사를 즐기는 하루였다.

2015년 4월 9일

10 카드 빚

주택공사를 다닐 때부터 서부정류소 근교에 불고깃집에 아르바이트를 다녔다. 주택 공사는 9시 출근에 오후 5시 퇴근이니 예약 손님이 있으면 5시 반에 승용차로 데리러 온다.

주택 공사를 그만두고 오전 10시 출근에 밤 12시 퇴근에 월 100만 원을 받아 빚 청산은 끝이 났다. 빚 청산이 끝이 나니 나도 조금 여유로워져 신경을 곤두세우지 않으며 시간은 쉼 없이 흘러 추석에 삼 남매 모여 칠순에 대해 의논하는데 들어오며 칠순에 경비를 얼마나 예산을 하는 것인지 묻는다. 큰아들의 대답은 식당 빌려 삼촌들하고 고모님 오시라 하여

"한 집에 50만 원씩 150만 원 하면 될 것 같습니다."

"그럼 됐다. 칠순은 없던 것으로 하고, 한 집에 50만 원은 내 계좌로 생일 전까지 넣어라."

2003년 음력 9월 18일 미역국 끓이는 것으로 끝마무리를 하였다.

며칠 전에 쓰레기봉투에서 자동차 전단지를 본 것 같았으나 기억이 확실하지 않아 두 명의 시동생들에게 만일 형이 두 사람에게 보증해 달라면 무조건 거절하라 이르고 조카들에게도 거절을 부탁하며 친정 동생들에게도 부탁하니 막내가 "자형 보증인 없어도 봉고차 반납하면 새 차 끌고 나올 수 있습니다."라고 알려 준다. 내가 그 소리에 졸도하지 않은 것이 기적이었다.

추석도 지나고 생일도 지나 가을로 접어들어 식당이 조금 한가하여 매일밤 12시에 들어오다 저녁 무렵에 오니 우편함에 카드 명세서와 차 광고지가 한가득 들어있다.

경비원 아저씨가 나를 보더니 "아주머니 집에는 두 내외 살면서 차 가지고 둘이 벌이하니 먼저 차도 아직 새 차이던데 또다시 새 차로 바꾸는 것 보니 돈벌이가 잘 되는 모양이지요."

2~3일 차가 보이지 않아도 '지하 주차장에 두었겠지?' 생각하

며 예사로 넘겼다.

어이가 없어 말문이 막혀버렸다. 그 무렵 길거리에서도 신용카드를 만들어 주었다. 큰아들은 직장이 구미에 있어 수업 마치고 오면 늦은 시간에 도착하기에 소방서에 다니는 작은아들을 퇴근하는 즉시 집으로 오라고 호출을 하였더니 놀라 택시를 타고 달려왔다.

너무도 어이없는 일이라 말이 나오지 않으며 손에 가지고 있는 고지서를 보여주니 아들도 놀라워 말문을 열지 못한다.

"너희 아버지 들어오거든 지갑 한번 보자고 너 제주 것 꾀여 카드를 압수해야 되겠다. 말로 해서는 카드를 내어주지 않을 것이니 너 재주껏 지갑 받아내어라." 이르고 가위 준비를 하여 두고 기다리니 현관문을 들어서며 아들을 보더니

"너 이 시간에 왜 여기 와 있느냐? 할 일이 없냐?"

"아버지 요즘 어떤 지갑을 가지고 다닙니까?" 하며 다가앉으며 잠바 안주머니에 들어있는 지갑을 빼내어 카드 4장을 압수하여 나에게 주기에 가위로 내가 한 장에 8조각 식 내어 쓰레기봉투에 넣어버렸다. 그리고 아들에게

"너! 내일 비번이지. 하루라도 차를 집에 두면 손해이니 내일 차 반납하고 마무리 지어라." 하며 남편의 호주머니 뒤져 열쇠 찾아 아들 호주머니에 넣어주며 안방에 돌아와 안방 문을 잠가버렸다.

다음날 식당에는 몸이 아파 하루 쉬겠다고 알리며 죽은 듯이 누워있다. 아들이 차 처분하여 돌아와서 받아보니 7년짜리 봉고차 주고 카드빚으로 600만 원을 빚으로 남았으며 주위에 약국에 카드로 산 약값이 120만 원이 남아 빚으로 남겨졌다.

서로 곱지 않은 시선으로 티격태격하면서도 한 달포를 넘겨 10시에 출근하려 나서려니 앞을 막아서며 병원에 데려다 달라고 재촉하기에 식당 사장님이 나를 데리러 왔다가 급하여 함께 차에 올라 보훈병원 응급실로 들어서며 사장님에게 미안하여 머리

를 숙이며 사장님 혼자 돌아가시게 하였다.

병원에서 여러 가지 종합 검사를 하고 보훈병원에서 밤을 새우고 아침에 병원에서 환자를 대학병원으로 옮겨야 되겠으니 어느 병원으로 가겠느냐며 묻는다.

당황한 나는 "무슨 병이냐?" 며 물으니 소견서를 써줄 것이니 가까이 있는 자녀를 부르라고 하여 가톨릭 병원 중환자실로 옮겨 두 번의 수술도 어쩌지 못하고 폐가 단단히 굳어 50여 일 중환자실을 나와 보지 못하고 운명을 달리하였다.

사후에 방을 정리하다 보니 약이 50개들이 라면박스에 약이 한가득 나왔다. 그 약을 숨기느라 외출을 할 때면 방문을 꼭꼭 잠그고 다녔던 모양이다. 40여 년을 부부로 살면서 단 한 번도 고마움을 넘겨보지 못하였으나 나보다 먼저 가 주어 내가 지금 이러한 영화를 누리고 있음은 고맙고 감사하게 생각한다.

3장 서울에서의 추억
1 간송 미술관

성북동 간송 미술관 보화각에서 1년에 2번, 5월과 10월에 2주간 무료 관람을 하는 기회를 준다는 신문보도를 보았다.

나는 박물관 구경 다니는 것을 좋아하여 봉천동에 사는 동생 둘째 순옥이에게 전화하니 다리가 아파서 싫다며 거절하기에 다시 일산에 살고 있는 넷째 동생 연자에게 전화하니 함께 가자고 하여 둘이서 시간과 날짜를 정하여 오전 8시에 성북 지하철역에서 만나 보화각 입구에서 관람객들이 줄 서 성북초등학교 운동장까지 장사진을 이르고 있다.

우리 두 자매도 줄을 서며 '오늘 관람을 할 수 있을까?' 걱정하며 기다리니 관람자들은 서서히 빨려 들어가 우리도 관람을 할 수가 있었다.

전시관에 들어서며 첫 번째로 혜원 신윤복의 미인도가 현물 크기로 우리들을 반긴다.

안으로 들어갈수록 많은 그림들 혜원의 전신첩, 월하정인, 쌍검무, 기방무사, 기방난투, 단원 김홍도의 단오절 씨름 모구양자, 황묘농접, 겸재 정선의 금강산진경, 한양진강, 청풍계, 인곡유거, 현제 심사정의 조충도, 촉진도 등 많은 그림과 화첩들이 눈길을 끈다.

신사임당의 보충 화첩도 비단에 그린 그림에 채색이 변색이 되지 않았으매 놀랍고 많은 서예풍과 골동품은 친견하면서도 예술품에 대하여서는 어리석은 문외한이라 눈으로 보며 즐기는 편이라 죄스럽고 민망하여 나의 무능함을 뉘우치는 계기도 되었다. 나로서는 들어보지도 못한 고서화들이 눈이 부시도록 아름다움에 발걸음을 뗄 수가 없어 정신없이 보고 있으니 뒤에서 재촉하며 떠 밀려 오랜 시간 관람을 할 수가 없었다.

일 년에 두 번 관람을 준다니 다음 기회를 기약하며 진심으로 감사드립니다.

만석꾼에 전 재산을 바쳐 우리 문화제를 모은 아버지와 그 수장품을 자기 목숨처럼 지킨 아들이 있어 오늘 우리들이 이러한 영광을 누리는 관람을 할 수가 있었다.

간송 미술관 창업자 전형필 씨는 만석꾼 전 재산을 우리의 유물과 보물을 일인들에게 도적맞은 것을 거금을 지불하고 뒤 찾아오신 분이시다.

아들 간송 미술관 이사장 전성우는 전시관 유물을 자기 목숨처럼 지켜온 아들이 있어 우리의 빛난 유물들을 서민들에게 무료로 관람에 기회를 주신 두 부자의 거룩한 뜻에 감사를 드리며 관람을 할 수 있는 영광을 주시여 너무도 고마웠다. 거금을 주고도 성사가 되지 않으면 수십 번이라도 현해탄을 건너가 고개를 숙이며 찾아온다고 했다.

우리의 국보 훈민정음해례본을 수장하는 기쁨에 울다가 웃고, 웃다가 울었다고 하였다.

오동나무 상자에 넣어 집에서 가장 깊숙한 곳에 갈무리를 하였고, 한국 전쟁 당시에 피난갈 때에는 가슴에 품었고 잘 때는 베개 속에 넣어 지켰다.

많은 서예 품과 미술품을 친견하면서도 아둔하여 눈으로 보는 호사만을 즐겨 죄송합니다.

전시실 건물 앞에 국보급 석탑도 아담하게 몇 기를 볼 수가 있었다.

일본인들에게서 찾아온 많은 보물과 유물을 간송 사립 미술관을 창립하여 1년에 2번, 5월과 10월 2주간 무료로 소장품을 관람할 수 있는 아량을 베풀어준 두 부자에게 진심으로 고개 숙여 감사를 드리며 뜻깊은 관람을 할 수가 있어 고마움을 머리 숙여 애도합니다.

2004년 10월

2 계명성(금성)과 하현달

2020년 8월 15일 오전 3시 30분 내 창문 앞에 하현달과 계명성(금성)이 함께 찾아와 내 잠을 깨운다.

두 남매가 밝은 빛을 쏘며 찾아와 서성이고 있다. 나의 버릇이 언제나 오전 3시 4시가 되면 잠이 깨는 습관이다.

초봄부터 매일 내리는 오랜 장마로 지루하게 내리던 비가 어느 시간에 자다 일어난 내 눈에 오늘은 어인 일로 화창하게 맑게 갠 밤하늘이 너무도 황홀하고 아름다운 모습에 자리에서 일어나 베란다로 나와 하늘을 쳐다보니 사방 여러 곳에서 별들이 하나 둘씩 나타난다.

오랜 세월 하늘을 쳐다봐 오고 달을 보아 왔지만 새벽 계명성과 저녁 서쪽 하늘에 금성만 보아오던 나에게 여러 개의 별을 보게 되니 즐거운 기쁨에 현관문을 열고 내려가 대구 도원동 어린이 공원 중앙에 서서 하늘을 올려보며 한 바퀴 돌아보니 많은 별들이 반짝이며 나타나 사방에서 모습을 들어낸다.

어린아이처럼 별을 세어본다. 제자리걸음으로 한 바퀴 돌며 세어 본 별이 82개이다. 은하수는 아직 나타날 시기가 아닌지 보이지 않으며 북두칠성 같은 많은 별자리들은 찾아볼 수가 없으나 사방으로 널려 있는 많은 별을 볼 수가 있어 즐거워 한 번 더 별을 세어본다.

봄부터 계속 내리는 긴 장마와 폭우로 하늘이 깨끗하게 씻기어 인지 잘은 모르겠으나 오늘은 행운의 별을 보는 날이다.

10여 년 전 인천 하늘에서 보던 별들은 길게 누운 은하수 각양각색의 별자리들을 볼 수가 있었으나 오늘 밤하늘의 별은 여기저기 한 개씩 흩어져 별자리는 찾아볼 수가 없었다.

소녀 시절 시골에서 별을 헤이면서 자라다 50여 년 만에 인천 하늘에서 별을 본 이후로 오늘 밤 대구에서 다시 10여 년이 지난 오늘 많은 별을 보는 행운을 얻어 너무도 즐거운 날이었다.

　지나간 시절에 별자리는 보지 못하였으나 많은 별을 보았다는 기쁨에 소녀 시절에 별 헤이던 추억에 잠겨 긴 세월을 뒤돌아보며 아침 해를 맞이하였다.

　　　　　　　　　　　　　2020년 8월 15일 오전에

3 국립 중앙 박물관

국립 중앙 박물관에서 7월 중순부터 9월 중순까지 외국 유물 전시회가 열린다는 신문기사를 보았다. 신문을 보자 봉천동에 살고있는 동생 순옥이에게 전화로 내일 중앙박물관에 중국 유물 전시회가 있으니 함께 가자고 하였더니 부산에 살고있는 연자가 아들딸 집에 다니러 왔다며 함께 가자며 만날 장소는 이천 지하철역에서 10시에 만나기로 약속을 하였다.

다음 날 이천 지하철역에서 만나 서울 지리에 눈 밝은 제부가 우리 세 자매를 길 안내하며 데리고 다니며 이것저것 설명을 해 주고 큰 건물과 도로의 이름을 알려 준다.

네 자매 중 둘째는 서울에서 살고, 셋째와 넷째는 부산에 살고, 나는 대구에서 살아 함께 여행 한번 나들이 한번 제대로 해 보지 못하고 친정집의 나들이 아니면 함께 얼굴 한번 보기도 어려웠다.

셋째가 함께하지 못해 아쉽고 미안하였지만 각자 결혼 후에는 친정집에 행사가 없으면 만나기도 쉽지 않았다. 매표소를 찾아 가려는데 제부는 벌서 표를 사 가지고 오면서 기분이 좋은지. 싱글벙글 웃으면서 손에 표를 흔들며 소리쳐 가까이 오더니

"처형 외국관 관람권만 사면 국내 관람은 공짜이며, 거기다가 경로 우대까지 해주네요."

"아니 표는 내가 사야지. 제부가 표를 사면 내가 미안하잖아요. 점심은 내가 살 것이니 앞서 설레 바리 치기 없기예요."

"누가 사면 어때요? 우리 앞으로는 이런 시간 자주 가집시다." 하여 그러자고 약속을 하였다.

중국 전시관은 눈여겨볼 만한 것이 별로 없어 모두 대충 보고 국내 전시관에서는 나는 유물의 연대와 설명을 하나하나 살펴보느라 늦어지니 성격 급한 둘째가 시장하니 대충 보고 점심 먹자며 재촉을 하여 다음 기회로 미루고 우리들은 식당으로 발길을

돌렸다. 점심 식사 끝나 제부가

"처형 청계천 새로 조경공사하고는 못 가 보셨지요? 청계천 맑은 물에 발 담그고 땀 시켜 사람 구경하며 앉아 놀다 갑시다." 하기에 우리는 제부 뒤를 따랐다.

청계천은 박물관에서 그리 멀지 않았다. 청계천에 도착하니 많은 사람들이 일렬로 줄을 지어 발을 물에 담그고 물장구를 치며 앉아 즐기고들 있다.

우리도 빈자리를 찾아 앉으며 물에 발을 담그고 물장구를 치며 땀을 식혀 노닥거리니 부산에 셋째 민자가 함께 하지 못해 서운한 아쉬움은 있으나 그래도 오늘 하루 즐거웠다.

그 이후로 매년 여름 방학 때면 찾아다녔다. 황금의 나라 페르시아에 유물전시회는 황금주전자, 황금 술잔, 황금 신발, 신전 기둥 위아래에도 도금을 한 영상물을 볼 수가 있었으며 천 년 전 신라와의 교역으로 화려한 문양의 유리 주병과 그릇과 접시는 예쁘고 아름다움에 눈을 뗄 수가 없었다. 천 년 전에 유리의 기술과 머나먼 나라 사이에 교역이 있었다는 것도 놀라움이었다.

그 이후로 매년 여름 방학 때면 외국의 유물 전시회가 있어 열심히 관람하며 즐겼다.

신의 나라 그리스 유물 전시에는 나체의 비너스 상과 운동하는 남자 현물 크기와 똑같은 크기에 나체상의 조각품은 신비로움에 현혹되기도 하였다. 예술에 문외한인 나 같은 눈에도 신비로움에 감탄을 하거늘 예술가들의 눈에는 어떡하였을까? 궁금하기도 하였다.

그 다음 해에는 이집트에 삼천년 된 미라. 그 다음 해에는 영국의 도자기, 그 외에도 여러 나라의 유물들을 매년 국립박물관에서 만나 볼 수가 있었다.

전시회를 보면서도 눈으로 보면서도 내용도 잘 모르면서 감탄만 할 뿐이었다. 사람은 태어나면 서울로 보내라는 말이 괜히 있는 것이 아니다. 이 나라의 수도 서울 볼거리도 많으며 구경할 것도 많다.

그 이후로 10년이 지나 2016년 여름에 달서 도원 도서관에서 인문학 강좌 '신화의 숲에서 삶의 길을 묻다.'라는 강의를 배우게 되어 그리스라는 나라에 대해서 많은 신들과 문화 예술이 일찍이 발달한 나라이며 많은 유물을 소장한 나라라는 것을 알게 되었다.

이 나라의 수도 서울 볼거리도 많으며 구경하며 배울 것도 많아 사람으로 태어나면 서울로 보내라고 하였구나.

4 동작동 국립묘지

우리나라의 젖줄인 한강을 굽어 내려다보며 잠들어 있는 우국지사와 선열들이 영면하고 계신 이곳 동작동 국립묘지에 팔 남매 중 다섯 번째인 큰 동생이 여기에 잠들어 있다.

내 자식들이 우선이 되어 자주 찾아보지 못함에 미안함도 있으나, 서울 걸음이 있으면 동생에게 잠깐 다녀간다.

언제나 쫓기듯이 다녀야 하기에 잠깐 급히 들렸다가 음료수 한잔 부어주며 일어서 "큰 누나가 많이 서운하였지? 미안하다. 이제는 서둘지 않으며 천천히 너 곁에서 놀다가 가련다."

항상 바쁘게 다니다 보니 주위를 돌아보지 않아 현충원 안에 가로수들이 고개를 숙이고 있음을 모르고 있었다.

"오늘 너 옆에 앉아 돌아보니 나뭇가지마다 고개를 숙이고 있네."

벚꽃 나무도 수양버들처럼 아래로 예쁜 꽃송이를 매달고 축 늘어진 가지에 매달린 하얀 꽃이 꽃비를 뿌리고 있구나. 나무도 나라를 위해 몸 바친 선열들의 우국충정을 무언의 묵념을 하고 있구나.

새로운 모습에 황홀하다기보다 숙연해진다. 나무들도 예를 다하는 모습을 보니 사람으로서 어찌 예를 하지 않을 수 있겠는가?

여기에 잠들어 있는 동생은 누나 여섯에 일곱 번째로 태어나자 어머니의 노산으로 젖이 없어 내가 암죽으로 내 등에서 키운 귀하디 귀한 동생이었다.

6·25동란 중에 여섯째가 설사를 하며 시름시름 앓더니 숨을 거두고 다섯째가 또 설사를 한다. 전란 중에 약도 구할 수 없으며 쑥 뿌리 즙으로 겨우 겨우 연명을 하다 서울이 수복이 된 후 우리도 집으로 돌아와 삼 일만에 세상을 하직하고 떠나버렸다.

가난한 살림에 어머님은 먼동이 트면 행상을 나가시고, 남동생은 젖은 먹어보지 못하고 자랐으나 건강하게 잘 자라주었다.

대구 농고를 졸업하고 덕곡면 면서기 공무원으로 발령을 받아 6개월 다니다 자원입대하여 첫 휴가로 1971년 신년 정초에 휴가를 온다는 편지를 받아 온 식구가 모여 기다리는데 온다는 사람은 오지 않으며 동생의 전사 통지서가 날아든다.

도저히 믿기지 않은 청천벽력이다. 부모님의 황망해하는 모습은 뵙기조차 고통스러웠다. 어머님의 처절한 모습은 곁에서 말한마디 붙일 수가 없었다.

전사 통지서를 받고 나니 아득한 옛날 동생이 세 살 무렵 스님 한 분이 동생을 보드니 무심히 하는 말씀이 "이 집에 효자 아들 두었네. 그러나 명이 단명이니 이 일을 어이할꼬?" 하며 물 한 바가지 마시고 나가신다.

그 당시 우리 집 마당에 우물이 있어 동리 사람들과 길지나 다니는 사람들이 물을 먹으려 많은 사람들이 드나들었다.

당시에는 부모님은 들일 나가시고 나와 동생 둘이서만 집에 있어 나는 스님에게 여쭈어보지도 못하고 예사로 들어 넘겨 연유를 물어보지도 않았다. 전사 통지서를 받고서야 옛날 스님의 말씀이 떠오른다.

국립묘지에 안장하고 돌아오신 어머니는 그날로 고령 관음사에 공양주로 가시어, 4년 가까이 절에서 사시는 어수선한 가정생활이 이어지고 있었다.

참고 계시든 아버지께서 결국 일침을 놓으셨다고 하신다.

아버지의 말씀은 "눈앞에 없는 자식 그만 챙기고 눈앞에 있는 자식들! 가슴 아프게 하지 말라."라는 말씀에 정신이 들어 집으로 돌아오셨다.

내가 알기로는 어머니께서 남몰래 절에 가시어 백일기도도 하시며 용날에는 휘천강 용왕님께 눈이 오나 비가 오나 기도를 하여 얻은 자식이었다.

가부장 시절에 어머니는 위로 딸 여섯을 둔 후에 일곱 번째로 얻은 아들이었다. 어머니의 노산으로 젖이 나지 않아 내가 암죽으로 내 등에서 자란 동생이다. 어머니는 아들을 얻었으나 가난한 형편에 초 칠일 만에 행상을 나가야만 했다. 젖 없이 암죽으로 자랐으나 감기 한 번 배탈 한번 없이 건강하게 잘 자라주었다.

짧은 생을 살면서 유별나게 부모님에게 효성이 지극하였으며 동네 어른들을 도우며 챙겨주어 동네에서도 칭찬을 아끼지 않았다.

내 등에서 자라서인지 큰누나를 챙겨주며 오며 가며 조카들을 살뜰히 보살펴주던 자상한 동생이었다.

나라에 충성하고 부모에게 효성이 지극하던 동생이었으나 부모님도 돌아가시고 나 역시 내 삶이 있어 자주 찾아보지 못하고 서울 걸음이 있으면 동작동 국립묘지에 바쁘게 동생을 만나 보고 일어선다.

나도 이제는 내 몸이 내 말을 잘 듣지 않아 서울 걸음이 뜸해진다.

이번이 마지막이라 여겨져 천천히 사방을 둘러보며 걷다 보니 현충원 가로수 벚나무들이 수양버들처럼 아래로 가지를 드리우고 고개를 숙여 가지마다 하얀 꽃비를 휘날리고 있다.

나무들도 우국충정의 선열들과 지사들 전사자들에 충정을 고개 숙여 예를 하는구나.

선열들의 명복을 빌며 언제가 될지 알 수 없는 기약을 혼자 하며 한 번 더 다녀가기로 기대해 보며 아쉬운 발걸음은 동생의 묘비만 뒤돌아보며 발길을 돌린다.

2014년 봄날

5 밤사이 안녕이란 인사

한 치 앞도 모르는 인간사 밤사이 안녕이란 말이 괜히 있는 것이 아니다.

나이가 있어 웬만한 여행은 삼가며 조심을 하는 편이다. 실버대학교 여름 휴강이라 딸아이 집에 다니러 갔다.

딸아이 내외 출근하고 손자들 지방에 있어 혼자 심심하여 모처럼 서울에 왔으니 동생들을 불렀다.

얼굴도 볼 겸 놀다 가라고 전화하니 좋아들 한다. 세 자매가 만나 점심을 먹고 호호 하하 주거니 받거니 노닥거리다 3시경에 가야겠다며 동생들이 일어선다.

나도 일어서려니 오른쪽 무릎이 열이 나며 극심한 통증으로 일어설 수가 없으며 통증이 너무 심해 옴짝달싹할 수가 없는 통증이 조여 온다. 넷째 동생인 연자가

"언니 얼굴이 백지장이다. 구급차를 불러야겠다."

119구급차에 실려 가까운 국립경찰병원에 실려 가 급히 서둘러 무릎에서 물을 한 대롱이나 빼고 사진을 찍는 사이에 직장에 다니는 딸아이에게 전화로 알리고 대구에 있는 작은 아들에게 연락을 하는 중에 보호자를 찾는다.

진찰 결과는 급성 관절염으로 서둘러 수술하여야 한다며 보호자를 찾으니 때마침 딸아이가 도착하여 바로 수술실로 직행하여 수술을 하였다.

일사천리로 수술을 끝마치고 병실로 돌아오니 어리둥절 혼란스럽다.

대구에서 작은아들이 연락을 받고 일주일 휴가를 내어 오후 11시경에 병원에 도착하였다.

자식들에게 짐이 되기 싫어 나름대로 내 건강은 스스로 챙기는 편이라 다리에 관해서는 조금도 의심하지 않았으며 동서 팔방 거침없이 돌아다녔다.

나는 척추가 좋지 않았으나 다리는 튼튼하다며 여기저기 많이 돌아다니면서도 다리에 건강에 대해서는 자부심을 가지고 있었다.

13일간 입원을 마치고 퇴원하며 생각하니 '만일 내가 혼자 대구에 집에 혼자 있었던지? 서울에서 동생들이 오지 아니하고 혼자 있었으면 어찌 되었을까?' 생각하니 아찔하다.

갑작스러운 입원으로 자식들에게 큰 걱정을 시켰다. '세월 앞에 장사 없다.' 하더니 내 나이를 잊고 살았던 것 같아 자식들 보기가 민망스럽다. 자식들이 조심하라니 다음으로 미루라고 하면 듣기 싫어 내가 내 몸 알아서 한다며 큰소리 뻥뻥 치며 자식들 걱정하는 것을 싫어하였으나 이제는 모든 것을 내려놓으며 자식들에 의향에 따라야되겠다는 뉘우침의 반성도 하여본다.

한 번 병원 신세를 지고 보니 모든 일이 두렵고 겁이 나며 서둘러 행동하기가 어려워진다.

앞으로는 더 조심하고 자식들에 걱정을 덜어 주려면 모든 일에 신중을 해야겠다.

한 치 앞도 모르고 사는 인생인 것을 밤 사이 안녕이란 말이 괜히 있는 것이 아니란 것을 이제야 이제야 절실히 느끼며 실감을 하였다.

2015년 7월

6 서울 나들이

서울 딸아이 집에 다녀오려고 오전 9시에 집을 나선다. 대구 역에서 10시에 무궁화 열차에 몸을 실었다. 나는 언제나 왕복 무궁화 열차만 애용한다.

일 년에 3·4회 하는 서울 나들이는 계절이 달라 차창 밖 산천 구경하는 것도 쏠쏠한 재미이며, 바쁘게 쫓겨 다닐 이유도 없어 한가롭게 소일하며 여행을 즐긴다.

어제저녁부터 밤새 비가 추적추적 내리더니 먼동이 트며 화창 하게 맑게 갠 날씨가 후덥지근하다.

산천초목들은 간밤 비로 산뜻하게 목욕하여 짙푸른 초록 향기 를 내풍 기며 풋풋함을 자랑하고 있다.

열차는 달려 회색 빛 높은 건물이 수시로 시야를 가려 지나치 나 산천의 초목들은 짙푸른 초록 물결을 출렁이며 풋풋한 향기 를 풍기며 대자연의 품에 안겨 한 폭의 산수화를 그림으로 그려 즐기라며 내 시야에 들어온다.

주위의 환경에 넋 잃고 창밖만 바라보다 열차는 종점에 도착 한다.

서울 역에 도착하여 객실 밖으로 개찰구를 나서려니 할머니 부르는 소리가 낯설지 않아 소리 나는 쪽을 보니 외손녀가 손을 흔들며 서 있다.

서울 역에 도착하면 사람 홍수에 현기증이 날 때가 있다.

식당에 들러 손녀와 둘이서 국수로 점심을 마치고 나서니 손 녀가 지하철 방향으로 가기에 손녀를 불러 세우며,

"할머니는 지하철은 싫어. 어둠의 굴속을 달리는 것은 싫다. 시내버스 타자."며 손녀를 불러 세우며 버스 주차장 쪽으로 나 는 발길을 옮기려니 손녀가

"할머니! 버스 타면 2시간의 거리로 할머니 피곤하실 텐데." 하며 손녀는 버스 주차장 쪽으로 따라온다.

시내버스 401번을 타며 가락시장까지 가는 동안, 차창 밖 시내 구경을 즐기려 창문 쪽을 찾아 앉는다. 어디를 가나 차 창밖 구경은 흥미롭다.

서울 역에서 눈요기로는 첫 번째가 숭례문이다. 다음이 남대문시장 남산 3호 터널 해방촌 골목 지나 크라운 호텔 앞 정류소 부스에서 독립 영웅 세 분을 만났다.

김구 선생님, 안중근 의사, 이봉창 의사 세분의 동영상을 뵐 수가 있었다.

잠깐 버스가 정차하는 순간이지만 세 분의 영웅들을 뵐 수가 있어 너무도 반가웠다.

여기에서 나의 진위 할아버지의 환영도 눈앞에서 아른거려 뵐 수가 있었다.

상해 임정에서 국무위원 문화부장으로 계시다 해방이 되어 김구 주석과 정부 요인들과 함께 귀국하신 어른이시다. 아호는 영주 함자는 김상덕이시며 1919년 2·8 선언문을 일본 동경에서 선언문 선언 인의 11명의 한 분으로서 옥고를 치르고 상해로 가시어 독립운동을 하신 분이시다.

뒷좌석의 손녀를 돌아보니 피곤한지 졸고 있다.

내가 10살인 해에 해방이 되어 김구 선생과 정부 요인들과 함께 일진으로 귀국하시어, 고향 고령에 오시면 할머니와 아버지가 큰 할아버지 댁에 가실 적에 할머니를 졸라 손잡고 따라가 뵙고 독립운동하시던 이야기를 들어 뜻도 모르면서 재미가 있어, 할아버지가 오실 때마다 할머니를 졸라 따라다니며 독립운동 이야기를 어른들 사이에 끼여 졸지 않고 듣고 있으면 할아버지께서 내 머리를 쓰다듬어 주시며

"공부 열심히 하여 나라 사랑 잊어서는 아니 된다.' 하시며 나를 토닥거려 주시던 기억이 영상으로 스쳐 지나간다.

1948년 총선에서 경북 고령 초대 국회의원으로 당선되어 헌법 기초의원으로 선임되었고 특위 반민족 행위 특별조사위원회

의 위원장으로 선임되어 친일 세력을 숙청에 노력하시던 중 6·25 동란 이후로 소식이 단절되어 할아버지의 가족까지도 소식을 알 길이 없어 완전히 잊고 살던 할아버지의 모습을 여기에서 환영으로나마 뵈올 수가 있어 반갑고 고마웠다

해방된 조국에 돌아오시어 오직 나라만을 위하여 불철주야 몸바쳐 바쁘게 일하시다 반민특위 위원장으로 친일파 청산을 하시다 6·25 동란에 소식이 단절된 어른이시다.

내가 도서실에 다니다 달서 노인복지관 도서실에서 보게 된 기억은 할아버지께서 6·25동란에 납북되어 가시다 관서 벽동에서 최후를 마쳤다는 기사를 본 것 같은 기억이 있으나 나로서는 알 길이 없어 가족들의 소식마저 모르고 있다.

가족의 안위도 자신에 목숨마저도 버릴 수 있는 애국 애족에 애민 사상을 국민 모두가 배워야 할 충절의 덕목이다.

차를 타고 지나다 보게 되어 존경스럽고 감사한 마음에 고개가 숙여진다.

앞으로도 이와 같은 영상물이 사람들이 많이 모여 지나다니는 곳에 많이 있었으면 좋을 것 같아 권장하고 싶다.

어린 학생들이나 젊은 사람들에게 나라 사랑의 교육 측면에서도 좋을 것 같다.

만일 손자나 사위가 마중을 왔으면 차를 가지고 와서 우회전하여 보지 못하였을 것이다.

'시내버스를 타기를 잘했다.'는 생각을 하며 뒤를 돌아보니 손녀는 아직도 졸고 있다. 차 안에서 잠깐식 스치는 사이지만 잠실 올림픽대로의 88올림픽 조형물들도 볼만한 그림들이다. 각 가지의 경기 모습의 조형물이 올림픽대로에 나열한 모습은 몇 번을 보아도 흥미롭다.

잠실 롯데 월드와 월드타워의 웅장한 모습 삼성 코엑스 무역센터 같은 높고 큰 건물이 많은 거리의 구경도 시골 사람들의 눈요기 구경으로 흥미로운 구경거리다.

잠실 사거리에서 송파대로 가 석촌 호수 중앙으로 동서 호수로 갈아놓아 꽃반지 길을 만들어 동호수에 롯데 월드 타워와 서호수의 롯데월드 놀이공원과 롯데백화점도 차창 밖 그림으로 쏠쏠한 구경거리다.

　수도 서울 농수산물 시장인 가락시장을 지나면 바로 집에 도착한다.

　차창 밖 그림 구경과 세 분의 독립 영웅을 뵙고 진위 할아버지의 환영도 뵐 수가 있어 오늘 여행은 피곤함도 잊고 즐겁게 집까지 도착하여 행복한 여행이 되었다

　한낮의 버스 안은 서울이나 지방이나 한산하여 시내 구경하기에는 나 같은 노인들에게는 안성맞춤이다.

　구경 한 번 참 잘했다.

1995년 8월

7 서울에서 생활

2003년 12월 24일 영감님이 이승을 하직하고 저승으로 떠났다. 올해 구정을 지나 딸 안사돈께서 홀로 있는 나에게 "외손자들을 좀 보살펴 주세요." 하시며 부탁을 하신다.

딸 내외 출근을 하고 손주 삼 남매 막내가 1학년에 입학하니 "혼자 계시느니 딸 좀 도와주세요." 하며 부탁하시기에 사양하지 아니하고 구정 셋째 날 딸 식구들을 따라 서울행 열차에 몸을 실었다.

두 아들은 며느리들이 각자 전업주부로 생활을 하며 손자들을 돌보고 있으니 내 손이 필요하지 않아 내가 눈치를 볼 이유도 없으니 천만다행이다. 그리하여 2004년 2월 중순 경에 서울로 가게 되었다.

서울 생활은 나에게는 낙원이었다. '사람은 태어나면 서울로 보내고 말은 태어나면 제주도로 보내라.' 라는 속담을 직접 체감을 하는 것이었다. 볼거리도 많으며 시골 늙은이 구경거리도 많아 먼저 간 영감님이 이처럼 고마울 수가 없다.

내 생에 처음으로 남편에게 고맙다는 마음을 가져 보기는 처음이다.

안 사돈의 인정과 마음 쓰심에 고마움을 느끼며 감사한 마음으로 서울 행 열차에 몸을 실었으니 겉으로는 표현을 하지 않았으나 나는 이미 즐거움에 들떠 있었다.

2003년 12월 24일 영감님이 이승을 하직하고 저승으로 떠났다.

팔 남매 맏이로 자라면서 고향에 친척이 많아 대구 출입하는 친척이 오며 가며 우리 집에 들려 자고 가며 아침저녁 식사를 하고 가니 끼니때마다 객식구가 끊이지 않은 환경에서 자라 북적거리는 것이 익숙하여 혼자 있으니 적막강산 어둠 속에서 사는 것 같아 적적하던 차 서울 생활이 힘들다기보다 나에게는 즐거움이었다.

식구들 오전 7시면 두 내외 출근을 하고 삼 남매 8시 모두 학교에 가고 나면 식기세척기에 그릇을 넣고, 빨래는 세탁기에 넣어 스위치 눌러 두고, 청소기로 청소 끝나면 이제부터 나의 시간이다.

일주일에 2~3번 탄천에 산책 다녀와 일간지 신문 살펴 본 다음 독서에 심취하게 된다. 이 집은 대학교수의 집이라 방마다 책장에 다방면에 책이 가득히 있어 원 없이 독서를 즐길 수가 있었다.

결혼 전에 즐기던 독서를 결혼과 더불어 내 손에서 떠난 이후로는 독서라는 단어조차 잃어버리고 살다가 내가 독서를 즐기게 되었다니 꿈만 같은 일이다.

세상에 신선이 따로 없다. 내가 바로 신선이 된 기분이다. 매일 매일이 행복한 순간이었다.

신문에서 국립중앙박물관에서 중국에 국보급 유물전시를 한다는 기사를 보았다. 소녀처럼 마음이 설렌다. 일요일 하루 쉬는 딸을 성가시게 할 수가 없어 봉천동에 살고 있는 동생에게 전화를 하였더니 부산에 살고 있는 넷째 동생 연자가 일산에서 살고 있는 아들과 딸 집에 다니러 왔다며 전화가 온다.

세 자매 평일 날잡아 이촌 지하철역에 10시에 만나기로 약속하여 서울 지리에 눈 밝은 봉천동 제부가 우리 세 자매를 에스코트 하며 데리고 다녔다.

외국 전시관 관람 권만 사면 국내 전시관은 무료 관람이다. 거기다 경로 우대까지 혜택을 보았다.

중국 전시관을 관람하며 살펴보아도 눈길을 끌 만한 전시물은 보지 못하였으나 비단의 채색은 화려하게 아름다웠으며 몇백 년이 지나도 비단이 색이 변하지 않았다는 것은 놀라웠다.

국내 전시관에 들러 보물과 예술품을 보며 나는 연대와 설명을 하나하나 세세히 읽어보며 관람을   하는데 봉천동 동생이

시장하다고 대충 보고 가자며 재촉하기에 다음으로 혼자 기약을 하며 식당에 들러 식사를 마치고 나오며 제부가

"처형! 청계천 새로 조성하고는 안 가 보셨지요? 맑은 물에 발 담가 땀 좀 식혀갑시다."

청계천은 박물관에서 그리 멀지는 않았다. 많은 사람들이 발로 물장구를 치며 줄지어 앉아있었다.

우리도 자리를 잡아 앉으며 발을 물에 담그니 신선놀음이 따로 없다. 모두 어린이들처럼 즐거워하며 일어서지를 않는다.

"이제 그만 일어서자. 조금 있으면 지하철 복잡하다." 내가 일어서니 모두 따라 일어선다.

부산에 살고 있는 셋째가 함께 하지 못해 서운하고 미안하여 마음이 편치 않았다.

매년 7월 중순에서 9월 중순까지 외국 유물전시관을 관람하는 호사도 누렸다.

황금의 나라 페르시아의 황금주전자, 황금 술잔, 황금 신발, 대리석, 신전 기둥 아래위에 도금으로 테두리를 한 신전을 영상으로 보았으며 신들의 나라 그리스의 예술품은 현물 크기에 남녀 나체 조각상들과 그림들은 예술품에 문외한인 나 같은 사람에 눈에도 놀랍고 감탄스러워 눈을 뗄 수가 없었다.

그 외에도 영국의 도자기 전시, 이집트의 삼천 년이 된 미라 이러한 외국 전시관을 거쳐 국내 전시관을 둘러보며 선조들의 재능을 배워 보지 못함을 부러워만 하는 나 자신이 미워진다.

이 나라에 수도 서울 볼거리도 많으며 배울 것도 많은 서울! 그래서 사람은 태어나면 서울로 보내라고 하였던가. 이 나라의 수도 서울 박물관 미술 전시회 고궁 볼거리도 많으며 눈 호사를 즐길 수 있는 이곳에 내가 와서 살고 있다는 것이 행운이었다.

4장 애국의 개념
1 경술국치를 아시나요?

오늘은 대구 경북아카데미 독립 회원들이 대구시 중앙공원 독립기념관에 견학을 가는 날이다.

우리 민족 5천 년 역사상 가장 비극적인 경술국치의 수모를 당한지도 107년이 지났다.

우리의 역사에서 처음으로 민족의 정통성을 훼손당한 국가와 민족의 치욕적인 역사로서 1910년 경술년에 일어난 나라의 치욕이라 하여 경술국치라 합니다. 국치일은 일본에 매국노 등과 한일강제병탄을 불법적으로 맺고 이를 선포한 날이다.

1910년 8월 22일 대한 제국에 내각총리 이완용과 조선통감 대라 우지 마사 타게 가 우리 황제의 반대를 무시하고 형식적인 회의를 거쳐 조약을 통과시켰으며 조약을 체결한 뒤에도 우리 민족의 저항이 두려워 당분간 발표를 유보하여 조약 체결 사실을 숨긴 채 정치 단체의 집회를 철저히 금지하고, 또 원로대신들을 연금한 뒤에 8월 29일에야 순종황제를 겁박하여 양국의 조직을 내리도록 하였다.

8개 조로 된 이 조약은 제1조에서 "한국 황제 폐하는 한국 전체에 관한 일제 통치권을 완전히 또 영구히 일본 황제 폐하에게 넘겨준다."라고 명문화하면서 519년을 이어온 조선 [1897] 년에서 1910년까지 14년간의 대한제국 역사 포함] 은 국권을 완전히 상실하고 우리 민족은 36년간의 혹독한 일제의 식민 통치를 받게 되었다.

우리 국민들은 1300만 원에 국체를 남자들은 금연 금주를 하여 모은 돈으로 여자들은 금은 장신구들을 팔고 절미 운동을 하여 국체를 갚자라는 운동이 대구에서 시발점이 되어 전국으로 확산이 되었으며 남녀 노소 일치단결하여 비축하는 영상을 보면서 당시에 우리 민족의 참담한 현실을 본 듯하였으며 두 번째로 조양 회관 독립운동 기념관을 견학을 하였으며 점심 식사 대접 까지 후하게 받았다.

　우리의 역사에서 처음으로 민족의 정통성을 훼손당한 국가와 민족의 치욕적인 역사로서 1910년 경술년에 일어난 나라의 치욕이라 하여 경술국치라는 오명을 남겼다.

2017년 10월 27일

2 광복지사 김 상덕

경상북도 고령군 고령읍은 옛날 대가야의 도읍지로 오랜 역사의 명승지로 많은 유물과 고적을 남겨 가야인들에 영민한 삶의 유적들을 찾아볼 수가 있다.

가야산에서 동남쪽으로 뻗어 내린 큰 산줄기가 읍의 서북쪽에서 미숭산 자락에 마을이 낫질골, 현 [저전리]을 이루고 또 다른 한줄기가 동쪽으로 뻗어 읍의 중심부인 지산동에서 주산을 이룬다.

읍의 동쪽에는 금산이 있으며 주산과 금산 사이에는 가야산 북서쪽에서 발원한 대가천과 동남쪽에서 발원한 소가천이 읍내 본 관동에서 합류하여 금천이 되어 미숭산에서 내려오는 낫질천과 또 금천이 합류하여 읍의 동남쪽에서는 금천과 알림 천이 합류하여 모둠 내 [회천 가요]가 되어 낙동강으로 흘러든다.

이들 하천 연안에는 평야가 땅이 기름지고 수리시설이 대단히 좋아 농작물 생산이 풍요롭고 사람들의 인심이 후덕하며 큰 마을이 읍이 되어 사통 팔방 교통에 중심지로 중요한 도로망의 요충지로 되어있다.

김상덕의 아호는 영주이며 자는 현여, 본관은 경주이다. 김상덕은 1891년 12월 10일 고령읍 미숭산 자락 낫질 현[저전리]에서 아버지 김병익, 어머니 김해 김씨 김성옥 사이에 6남매 중 다섯 번째로 태어났다. 장남 상황, 2남 상위, 3남 상권, 장녀 내현, 4남 상덕, 5남 상학으로 빈농에 가난은 하였으나 6남매 부지런하고 인정 많은 부모 슬하에서 형제들 서로 위로하며 도와가며 형제들에 우애가 돈독하여 주위에서 칭찬들이 많았다. 상덕이 고령 모산골 현 [고령읍 지산리] 기재 김수옹의 13대 손이며, 어려서부터 총명하고 영특하여 글을 쓰며 조용히 노는 것을 좋아하였다.

소농으로 어렵게 사는 형편에 좋아하는 글공부를 하도록 지필

묵을 형들을 제끼고 사줄 형편이 아니어서, 5세에 밖으로 나가 놀며 길가에서 나뭇가지를 꺾어 땅 위에 글을 쓰며 혼자 노는 것을 좋아하여 놀면서 길거리서 솔가지로 글을 쓰며 지우고 다시 쓰며 노는 모습을 새땀 마을에 사시던 약국 어른이 지나치시다가 보시고

"너 거기서 무엇 하는 것이냐?" 물으니 고개도 들지 않고 숙인 체 건성으로 대답을 한다.

"글 쓰고 있습니다." 약국 어른이

"그것이 무슨 글자인지 아느냐?" 물으니 말없이 한자 한자식 읽으며 글을 쓴다.

하늘 천(天), 땅 지(地), 검을 현(鉉), 누루 황(黃), 집 우(宇), 집 주(宙), 누루 황(黃)을 쓴다는 것이 밭 전자 밑에 점 두 개를 찍어 놓고 고개를 도리를 하며 그다음은 생각이 나지 않는지

"황이라는 글자가 틀렸지에?"

그제서야 고개를 들어 쳐다보는 초롱초롱한 눈이 총명해 보인다. 약국 어른이 지나치다가 보시고 기특하게 여겨 아이에게

"너 언문 글도 아느냐?" 물으니

"잘 모르는데예" 하며 고개를 들어 쳐다보더니 일어서 고개를 숙여 인사를 한다. 약국 어른 생각에 아마도 서당 아이들이 흥얼거리며 다니는 것을 보고 들어 흉내를 내는 것 같아 대견하고 기특하여

"네 이름이 무엇이냐?"

"상덕입니다."

"상덕아 나에게 언문 글 배우 보겠느냐?"

"정말인고? 나 언문 글 가르쳐 줄랍니까?" 하며 눈을 쥐 뜨으며 폴짝폴짝 뛰며 좋아한다.

"내일 아침에 아침밥 먹고 아버지 모시고 약국으로 오느라." 하며 지나쳐 가신다. 상덕이 두 팔을 벌려 흔들며 집으로 뛰어오며,

"누부야! 누부야! 나 내일부터 약국 어른이 언문 글 가르쳐 주려고 아버지하고 약국으로 오라고 하더라."

"나도 인제 글 배우러 간다."라며 좋아 뛰어다니며 수선을 떤다.

식구들 들일 마치고 저녁에 집에 돌아오니 상덕이

"아버지, 엄마, 형아! 나 약국 어른이 내일부터 글 배우러 오래."

약국에 들러 약국 어른에게 인사를 하고 나니 약국 어른의 말씀은

"어린 것이 총명한 것이 기특하여 내 지루한 시간 담배 심부름하며 말동무도 하면서 언문 글 가르치며 소일하게 아침밥 먹인 후 나에게 보내주게." 하시며

"내가 좋아서 하는 것이니 다른 생각은 개의치 말게나. 아이는 두고 자네는 가서 볼일 보게."

"아버지 먼저 가. 나 공부 많이 하고 약국 어른 말씀 잘 듣고 공부 잘하고 갈게." 하며 상덕이 아버지를 대문 쪽으로 떠다민다.

상덕이 집에 돌아올 적에는 좋아서 양팔을 휘저으며 뛰어다니며 춤을 추며 다닌다. 집으로 달려가며 나도 인제 글을 배우로 다닌다면서 형들에게 자랑하며 좋아하였다.

"상덕아! 이제부터는 약국 어른이라 부르지 말고 선생님이라고 불러라." 하며 일러준 후로는 상덕이 선생님으로 존칭을 바꾸었다.

그 날부터 약국에 다니며 글도 배우고 우리나라에 위인들의 역사 이야기를 듣고 배우며 집에 와서 그 날에 배운 이야기를 형제들에게 들려주며 무엇을 하였다고 낱낱이 다 이야기를 들려준다. 심부름 중에서도 제일 하기 싫어하는 심부름이 한 가지가 있다고 하였다. 고분고분 말 잘 듣는 상덕이 하기 싫은 심부름이 무엇인지 식구들이 궁금하여 물으니 옷에 이(서캐)를 잡아

이 빠진 헌 연적에 담아모아 두었다가 집 뒤 가시덤불에 호미로 땅을 파서 묻어주는 것이 하기 싫은 일이라 하였다. 한 번은 선생님에게 여쭈어보았다고 한다.

"선생님 이는 죽이면 될 것을 왜 땅에 묻어주라고 합니까?" 하고 물어 보았더니 선생님은

"그놈들도 살기 위해 내 몸에서 생겨났거늘 무참히 죽일 수 없지." 하시기에

"내가 화롯불에 넣으면 될 것을..." 하였더니

"냄새가 지독해 안된다."라고 하셨다며 호미로 땅을 파서 구덩이에 부은 다음 흙으로 묻어준다고 하며 제일 싫은 심부름이라 하였다.

상덕이 약국에 다니면서 한글과 한문을 배우며 많은 위인들의 가르침을 배우며 열심히 공부하여 선생님의 가르침을 집에 와서 형제들에게 이야기를 해주니 형제들도 옛 선현들에 대하여 배울 점이 많이 있었다고 하였다.

약국 어른께서는 상덕이 더 이상 데리고 가르칠 능력이 아님을 아시고 내산 서당에 보내어 올바르게 길러 나라의 큰 동량으로 길러볼 욕심에 이두훈에게 보낼 결심을 하고 내산 서당으로 데려가 상덕이 약국을 드나들며 글을 배우다가 9세가 되어 약국 어른께서는 상덕을 내산 서당 이두훈에게 데려가 큰 재목하나 잘 길러 다듬으면 후회하지 않을 것이라며 내산 서당에 맡겨진다.

당시 이두훈은 국채보상운동 고령군 의무 소장으로 중책을 맡고 있었으며 한학자로 내산 서당을 손수 지어 한학을 가르치며 나라의 동량이 될만한 인물들을 가려 독립지사 이기록, 김상덕, 이방학 같은 독립지사를 양성하였고 많은 인재를 배출하였다.

이두훈은 자신의 아들 이완이도 장개석의 군관으로 보내기도 하며 항일운동을 전개하였으며 대구의 국채보상운동 당시 광무 11년 [1907년] 4월 20 국채 보상연합회의 소장 이준 부소장 김

광제 총무 김달하 고령군의 부소장 이두혼은 다방면으로 독립운동을 전개하였다.

김상덕이 17세에 이두혼의 서찰을 가지고 상경하여 김규식을 찾아가 서울 생활을 하기 시작하며 주경야독에 열심히 노력하며 조국에 몸 바칠 것을 결심하게 된다. 서울 생활은 아침에 일어나 두 개의 물두멍에 물을 가득 채우고 나면 아침 식사 후 학교 운동장과 집안 밖을 빗자루로 청소를 끝마친 후 불소씨개 나무가 들어오면 장작을 쪼개고 정리를 마치면 책을 펼쳐 자신의 시간을 가지게 되었다.

상덕은 위로 형들이 셋이며 부친이 집안일을 하기에 일을 해보지 않아 공부만 하는 어설픈 소년으로 주경야독으로 객지 생활이 몸에 익숙지 못하였던지 병을 얻어 고향에 내려와 건강을 회복하던 중 1912년 4월에 고령 공립보통학교 제2회 입학생으로 입학을 하였으나 3개월도 채우지 못하고 다시 상경하여 주경야독 열심히 노력을 하게 된다. 1913년 4월 1일 경신학교에 입학하여 1917년 3월 29일 12회 졸업생으로 졸업하였다.

이두혼은 독립지사인 수석 남형우를 권유하여 서울에 보성전문학교에 진학하게 하였으며 영주 김상덕이 이두훈의 충고로 영향을 받아 일본 유학을 결심하게 된다. 이 모두가 이두훈의 영향 때문이다.

그 후 김상덕은 한평생 독립운동가로서 항일투쟁의 신명을 바쳤으며 또 이도훈 그의 아들 이완이 장개석 정부에 장성으로 중국 이름 [공명기]로 전생을 독립운동에 전력한 것 등은 이두훈의 이와 같은 애국적인 인재 양성의 한 단면을 나타내는 것이라 할 수 있다.

이봉조의 아들 이정구 이정근 형제와 남형우 김상덕 신성모 등과 교우하며 서로 많이 의지하며 서신 왕래하며 학문에 노력하였다. 당시로서는 시대가 시대인 만큼 글을 아는 젊은 층들은 국운을 생각하지 않을 수가 없었다.

1917년 김상덕은 일본으로 건너가 동경 정칙 영어학교를 거쳐 대학에 입학하여 다니다 보니 민족의 참담한 현실에 통분하여 1918년에는 동경에 있는 조선 유학생들과 회합하여 재일본 동경 조선 독립 단을 결성하였고 그해 12월 하순 경 YMCA에서 웅변대회를 가지게 되었다.

다음 해인 1919년 1월 6일 학우회는 동경 조선 기독교 청년회관에서 웅변대회를 열었다. 이 때에 일본에 있던 유학생들은 일본에 대한 반감이 누구보다 강하여 각자가 국권 회복에 선각자임을 자부하면서 독립운동에 적국 가담하였다.

국제정세를 논하면서 지금이 조선 독립운동에 가장 적당한 시기라고 열변을 토하여 장내를 흥분의 도가니로 만들고 2·8독립선언 주도자들이 한 사람 한 사람씩 모여들기 시작하였다.

때가 때인 만치 이 웅변대회에는 4, 5백 명에 달하는 많은 학생들이 경청하여 대성황을 이루었으며 그들의 면면에는 조국 광복운동에 목숨까지 바치겠다는 결심이 넘친 것으로 보였다.

연사로 나선 이종근 김상덕 윤장석 등은 "세계 사조에 따라 또한 민족자결의 대원칙에 입각하여 우리 민족은 반드시 자주독립을 획득해야 할 것이며 이러한 숭고한 목적을 관철하기 위해서는 우리 젊은 학생들이 앞장을 서서 목숨을 걸고 싸워야 한다."라고 불을 뿜는 듯한 열변을 토하였다.

흥분과 긴장이 쌓인 장시간의 강연회는 끝났으나 학생들은 해산할 줄 모르고 새벽 1시가 넘도록 숙의를 거듭하였으나 왈가왈부만 하다 끝이 없으니 대표를 뽑아 11인의 대표에게 일임하고 2시가 넘어서야 해산하였다.

이때 최팔용 백관수 윤장석 서툰 김철수 김상덕 이광수 송계백 이종근 최근우 김도연 등 11인의 인사들이 대표로 선출되었다.

연사들은 계획적으로 힘 있게 말 잘하는 서툰, 이종근, 김상덕, 윤장석 등에게 민족자결의 원칙 아래 우리 민족도 반드시 자주독립을 획득해야 하며 이 목적을 달성함에는 우리 유학생들이 앞장서서 결사의 의기로서 용감스럽게 나가야 될 것이라고 열변을 토하게 하였다.

선출된 대표들은 일본 경찰의 감시를 피해 가면서 이곳저곳에서 비밀리 모여 의논을 하곤 하였는데 2월 8일까지 모든 계획된 일이 누설되지 않고 원만히 진행되어 간다는 것은 참으로 다행한 일이었다.

모든 일은 극비리에 순조롭게 진행되었다. 영문은 타이프라이터로 찍었고 [독립선언서] 와 [결의문] 은 일문과 국문으로 YMCA에서 빌린 등사판으로 유학생 김희술 [세이소쿠 영어학교 학생 22세]의 방에서 등사하였다. 그리고 일본 국회에 제출할 [민족대회 소집 청원서]는 도교 시내의 이토 인쇄소에서 인쇄하였다.

[선언서]와 [결의문]은 각각 600매 [청원서]는 1000매를 인쇄하였다. 서명자는 학생대표 중에서 11명이 선정되었다.

위험을 무릅쓰고 조선청년독립단 대표에 이름을 올린 이들은 모두 유학생들로 최팔용 [와세다대학] 백관수 [정칙 영어학교] 윤장석 [아오야마학원] 서툰 [도교 사범고등학교] 김철수 [게이오대학] 김상덕 [조도전대학] 이광수 [와세다대학] 송계백 [와세다대학] 이종근 [도요대학] 최근우 [도교 고등사범학교] 김도연 [게이오대학] 등이다.

2월 7일 청년회관에서 약 20명이 참석한 가운데 준비상황을 보고하고 동의를 얻었다. 이제 결행만이 남았다. 2월 8일이 되었다. 흐린 날이었다. 오후 2시 모임이 시작될 때부터 눈이 펄펄 내렸다.

오전에 완성된 [선언서] 초안 1부는 송계백과 최근우가 비밀리에 국내로 반입하고 [독립선언] [결의문] [청원서]는 우편으로 도교 주재 각국 대사관 공사관 일본 정부의 각 대신 일본 귀족원 중의원 조선총독부 및 각 신문사로 발송하였다.

2월 8일 오후 2시 학우회 임원 선거회라는 명목으로 학생들을 소집하여 도교 기독교 청년회관에서 역사적인 [2·8독립 선언서]가 발표되었다. 중국으로 떠난 이광수를 제외한 실행위원 10명을 비롯하여 600여 도교 유학생이 거의 전원이 참석하였다.

이날 대회는 회장 박남규가 개회를 선언하고 최팔용이 사회를 맡았다. 백관수가 [독립선언서]를 하고, 김도연이 [결의문을] 낭독하였다. 행사장은 [결의문]이 만장일치로 통과되고 거리 시위에 나서려는 시각에 관할 니시간다 경찰서장이 수십 명의 경찰을 대동하고 나타나 대표들을 감시하는 한편 대회를 해산시키려 하였으나, 학생들이 쉽게 물러나지 않고 충돌이 벌어졌다. 대회 진행 중에 일경이 행사장에 난입해 있었는지 알 길 없지만 추측상으로는 일경이 잠입하여 있었다고 여겨진다.

경시청에서는 어떻게 알았는지 정사복 순경들이 40여 명이 주위에서 서성거리고 있다.

강단 안에도 사복경찰들이 들어와 있었으며 그들의 감시 아래에 학우 회장 박남규가 개회를 선언한다.

최팔용이 재빨리 회장을 부르며 백관수로 하여금 독립 선언서를 김도연으로 결의문을 읽게 하였으니 이것으로서 독립선언을 하게 된 셈이다.

서천이 단상에 올라 열변을 하려는데 해산을 명하며 팔을 비틀며 마구잡이로 끌고 나가며 학생들도 육탄전으로 맞서나 세가 불리하여 선원인 10명 전원 수감되었다.

김상덕은 고령 출신의 변희용 [경운 대학] 대구 출신의 장인환 [정칙 영어학교]등과 더불어 2.8독립 선언 운동에 앞장서서 활동하다가 동경 경시청에서 파견된 경찰에 의해 현장에서 체포되어 7개월 반에 금고형을 치렀다. 조사받는 시간까지 합치면 1년여의 형을 살았다. 조선인 출신 밀정 선이갑의 지목에 따라 일본 경찰은 김상덕 등 실행위원들을 비롯하여 주동 학생들을 연행하였다.

2·8 독립선언 당시 현장에서 이를 지켜본 유학생 최승만이 증언이다.

이광수는 선언문을 가지고 중국으로 떠나 현장에 없었으며 선언문은 이광수가 작성하였다.

1920년 김상덕은 2월경에 형을 마치고 나오면서 친구 강태수가 마중을 왔다. 강태수가 금비녀 하나와 금 쌍가락지 한 쌍을 손에 쥐어 주며 본가에 가면 번거로우니 참한 아가씨가 있으니 결혼식을 하고 함께 떠나라는 조언을 하여 그를 따라가니 안마당에 초례청이 준비되어 있어 혼례를 올렸다. 혼례 후 심부름 다녀온 상머슴이 뒤돌아 오는 길에 헌병 네 놈이 주막에 가는 것을 보았다며 전한다.

신부 신랑 첫 만남에 이별을 해야만 했다. 신랑은 죄인처럼 신부에게 강태수가 손에 쥐어 준 비녀와 가락지를 신부에 손에 쥐어주며 "만일 내가 죽지 않고 살아있으면 10년인 오늘을 넘기지 않고 당신을 찾아오리라." 약속을 하며 정표로 신부의 손에 쥐어주며 우리 꼭 다시 만나자며 헤어져 떠났다.

신부와 헤어진 상덕은 인천 소래포구에서 조기잡이 어부로 변장하여 중국으로 떠나 1920년 3월 5일 상해에 도착하였다. 김상덕이 상해에 도착한 다음 날인 3월 6일 자 독립신문은 '작년 2월 8일 도교 독립선언서 서명자의 1인으로 7개월 15일의 금고형을 마치고 적에게 방영된 김상덕 씨는 일전 무사히 상해에 도착하다.'라고 그의 도착과 함께 의정원 의원으로 선출된 소식을 보도하였다.

임시정부 요인들은 그의 상해 도착을 환영하고 임시의정원 회의를 열어 경상도 출신 의정원 의원으로 선출하였다. 그의 나이 29세 때였다.

모스크바 극동 민족대회는 여러 단 채에서 선발된 대표는 상해임시정부 산하에 여러 단체들이 소속 단체들로 출발하매

1921년 12월 21일 합류한 대표자회 이에 김상덕 [화동 한국 학생 연합회] 정광호와 함께 화동 한국 학생대표로 참석했다.

대부분 정당 정파 소속의 대표 자격으로 참가한 데 비해 김상덕은 '무당파'의 학생대표 신분으로 참석하였다.

상하이 지역 대표들은 1921년 10월 20일 김승학 임원근이 출발한 것을 시작으로 여운형 21일 김상덕과 정광호는 22일 김규식은 27일 각각 출발하였다.

11명의 김상덕 일행은 만주 경유 노선을 거쳐 11월 3일 이르쿠츠크에 도착하였다. 상하이를 출발한 지 13일 만에 무사히 목적지에 도착하였지만 그간의 고초는 이루 형언하기 어려웠다.

이름 있는 큰 역에서는 검문이 심하여 도착하기 2, 3역 전에 미리 내려 마차로 가다가 다시 열차로 갈아타는 힘겨운 길이었다. 여운형과 김규식 등은 몽골을 횡단 혹한기에 접어든 고비사막을 건너 11월 25일 도착하였다.

대표자들의 도착이 늦어지면서 극동 민족대회가 지연되었다. 김상덕은 빙원의 도시 이르쿠츠크에서 회의가 개최되기를 기다렸다. 대표들은 주최 측의 방침에 따라 신상명세서를 작성하였다.

성명 생년월일 직업 소속 단체 외국어 구사능력을 포함한 12개 항목으로 구성된 조사표였다.
김상덕이 직접 작성한 자신의 조사표에 따르면 성명—김상덕 출발지—상하이 파견 단체—화동 한국 학생 연합회 생년월일—1894년 8월 10일 직업—학생 교육정도—중등 외국어—중 일어 공산 단체 소속—무당파라고 되어있다.

김상덕은 임시정부의 개조파에 속하면서 국민대표회의 소집에 적극적으로 참여했다.

상하이 프랑스 조계팔선교 3.1 예배당에서 개최된 국민대표회의에 경상북도 대표 자격으로 참가하여 선서 및 선언문을 수정

하는 3인의 수정 위원으로 선출되었다.

김좌진 이청청과 합세하여 책진화를 조직하였다 청산리 전투에도 참관하여 "승리의 기쁨에 만세를 부르며 서로 껴안고 울기도 하였다."라고 하였다. 그 말씀은 지금도 나의 귀에 쟁쟁하다. 신부 상태 정은 학교를 졸업하고 고향 집에 내려와서 있던 중 느닷없이 급히 서둘러 결혼을 하고 보니 독립운동하는 청년으로 일본 헌병들의 감시 아래 있는 청년이었다.

혼례만 치르고 첫날밤도 없이 남편과 이별하여 1년 후에 고령읍 저전리 시댁으로 신행을 가서 시부모를 봉양하며 조카들에게 공부를 가르치며 남편을 기다리며 시집 살이를 하고 있었다.

나의 백부님께서는 주산 재를 넘나들면서 외가댁에서 외숙모님에게 공부를 배웠다고 했다.

저의 할머니는 "공부를 많이 하면 무엇 하느냐? 자기 가족도 챙기지 못하는데 하시며..." 저의 아버지와 중부님은 공부하면 쓸모없는 사람 된다며 종이나 붓을 손에 잡으면 부지깽이로 등짝을 치시며 악다구니를 하였다고 하셨다. 손아래 올케 보기가 미안하여 아무 잘못 없는 두 아들에게 화풀이를 하였다고 하였다.

남편 없는 시집에 시집온 신부에 대해서는 내가 우리 할머니에게 소녀 시절부터 할머니가 돌아가실 때 까지 들어온 넋두리 이야기이다.

저의 할머니의 탄식은 남들보다 많이 배우고 똑똑하여 배우지 못한 사람보다 편하게 잘 살 줄 알았는데 첫날밤도 못 치르고 색시를 십 년 동안 애간장을 녹이며 살게 하였으면 되었지 다른 사람들은 그만 못 배워도 옆에 사람들까지 잘 먹고 편하게 살게 하거던만 하시며 한숨을 쉬고 눈물을 보이시던 할머니였다.

할머니는 손아래 올케가 신랑도 없는 집에서 시집살이를 하는 것이 안쓰럽고 애잔하여 친정에 가면 올케와 함께 자며 동생에 대한 이야기를 들려주며 자랄 때의 행동과 노는 모습에 대해 많은 이야기를 하였다고 했다.

시집온 신부의 혼수품이 소달구지 하나로 가득하였다고 하였다. 당시에는 혼수라야 무명 베로 시부모 옷 한불 형제 동기간들 남자는 두루마기 하나 여자들은 적삼 하나라도 있으면 감사하던 시절이었다. 저전리 산골에 혼수 짐이 소달구지로 들어오니 아래 우담 동네가 들썩들썩하였다고 하였다.

할머니는 아들 삼 형제를 큰아들 저의 백부님만 글을 배우게 하고 중부님과 저의 아버지는 "글 배워 뭐해? 일 배워 가족하고 먹고살아야지 글 아는 사람 집안에 하나면 족하다." 하시며 어쩌다가 책을 손에 한번 쥐면 저녁밥을 주지 않으며 야단을 치신다고 하셨다. 공부 많이 하고 훌륭한 동생이 원망스러워 올케에게 미안하고 애처로워 올케의 얼굴 대하기가 민망스러워 두 아들에게 화풀이를 하였다.

1921년 11월 11일부터 1922년 2월 6일까지 태평양 회의가 열렸다. 이 국제회의는 제1차 세계대전 전승국인 미국 영국 프랑스 일본이 아시아 태평양 일대의 신질서 수립을 논하기 위해 주도한 회의였다. 임시정부 의정원 회의는 이승만 서재필 정한경을 태평양 회의 대표로 파견하는 한편 홍진 외 24명의 명의로 태평양 회의에 한국의 독립청원서를 제출하였다.

그러나 태평양 회의가 미국 영국 일본 등 강대국의 세력을 재편성하는 것으로 귀결되고 한국 대표단의 활동은 수포로 돌아가고 말았다.

모스크바 극동 민족대회는 이와 같은 정세에 맞대응하기 위해 개최되었다. 태평양 회의에 실망한 한국 독립지사들은 극동 민족대회에 각별한 관심을 가지게 되고 임시정부를 비롯하여 국내외의 각급 단체에서 속속 대표를 선정 파견하였다.

대표로 선정된 인사들은 소속 단체에 위임장을 지니고 러시아로 떠났다. 이렇게 선발된 한국 대표는 1921년 12월 21일 합류한 한국인 대표자 8명을 합하여 총 56명이다.

　주요 인사는 김규식 (신한청년단) 김단야 (고려공산청년회 상해회) 김상덕(화동 한국 학생 연합회) 김승학(대한 독립신문사) 김시현 (조선 노동 대회) 김재봉 (조선 노동 대회) 노용균 (이팔구락부) 여운형 (고려공산당) 조동욱 (고려공산당) 최진동 (고려혁명군) 현순 (조선 기독교 연맹) 홍범도 (고려혁명군) 등이다. 전덕형 정정수 등 여성도 포함되었다.

　김상덕은 정광호와 함께 화동 한국 학생 연합회 대표 자격으로 참가하였다. 대부분이 정당 정파 소속으로 참가한 것에 비해 김상덕은 무당파의 학생대표 신분으로 참석하였다.

　상하이 지역 대표들은 1921년 10월 20일 김승학 임원근이 출발한 것을 시작으로 여운형 21일 김상덕과 정광호는 22일 김규식은 27일 출발하였다.

　당초 대회는 러시아 극동지역 이르쿠츠크에서 개최하기로 되어있었다. 그래서 한인 대표들은 지극히 위험하고 험난한 극동으로 발길을 재촉하였다. 상하이 서간도 국내에서 출발한 대표자들이 대회 개최지인 이르쿠츠크로 집결하기 위해서는 지극히 위험한 여정을 감수해야만 했다. 두 가지 노선을 이용할 수 있었는데 하나는 만주를 통과하는 노선이고 다른 하나는 몽골을 횡단하는 노선이다. 또 창춘이나 평택과 같은 대도시 철도역은 경비가 삼엄하기 때문에 열차에 앉은 채로 그냥 통과할 수가 없어 대도시 역 한두 정거장 앞서 하차하여 마차 편을 이용하여 대도시 역을 우회하여만 했다.

　상해에 도착한 김상덕은 상해임시정부에서 의정원 의원으로 활동하던 중 지역구 의정원 경상도 6인 중 1인으로 선출되어 활동 중에 괄목할만한 세 가지 활동을 하였다.

　1922년 1월 21일부터 2월 2일까지 모스크바에서 코민 대론

집행위원이 주최하여 열린 동아시아 각국 공산당 및 민족혁명단체 대표자 연석회의에 대표단의 일원으로 참석하였다. 1922년에는 국민대표로 준비 위원회를 구성하여 위원장에 남형우가 되고 그간 분열된 독립운동 단체를 통합하였다.

첫째는 1922년 모스크바에서 열린 극동 민족대회에 한국 대표의 일원으로 참가한 일, 둘째는 1923년 상하이에서 열린 국민대표회의에 참가한 일, 셋째는 상해 청년동맹회를 주도하여 결성하고 활동한 일이다.

1925년에는 북경에서 배천택, 원세훈, 장건상, 김상덕, 신성모 등과 항일 운동을 계속하다가 입을 다물고 비밀을 지키는 '다물단'이라는 비밀결사를 조직하여 주로 독립운동자금을 모금하려 대만까지 가서 일경에 쫓겨 물속에 나무 위에서 하루 밤낮을 숨어 있다가 밤에 내려온 일도 있었고 또 악질적인 친일파를 암살 제거하는 일에 전력을 다하였다.

'다물단' 군자금 모금 활동은 1925년 6월에 경산 경찰서에 탐지되어 '다물단' 정체가 밝혀지고 서동일 배천택 이종호 윤영섭 등 관계 인사가 체포되었다. 이를 '다물단' 사건이라 하였다.

1927년 운동 본거지를 만주 길림성으로 옮겨 조선 독립운동자 후원회 창립위원이 되었고 또 여러 독립운동 단체들의 통합이 절실하여 그 핵심 기구로 활약한 한국 독립단의 간부로 선임되었고, 모스크바에서 개최된 동부 혁명 대표자 회의에 참석하였으며 주중 청년회 대표로서도 동분서주하였다.

부부 작별하여 헤어져 10년이 가까워질 무렵 대구에 큰 생질 앞으로 편지가 한 장 도착하였다. 그 당시에는 황 창봉 댁 식구들도 파산하여 20여 명의 가족이 사방으로 흩어져 헤어져 살아가는 어려운 시절이었다. 저의 백부님께서는 파산 후에 백부님 식구만 대구에 사셨다.

백부님이 외숙모님에게 글을 배워 파산 후 대구우체국에서 우

편물 배달부로 일을 하실 때 옹기장수가 옹기를 지게에 한가득 지고 가까이 오더니

"당신이 황사전이요?"

"예, 그렇소."

얼굴도 쳐다볼 사이도 없이 백지 봉투 하나를 건네주며 지나치기에 얼결에 받아 물어볼 사이도 없이 저만치 가버려 의심스러워 뜯어보니

"상학이에게 전하라!"라는 글자만 쓰여 있다.

백부님의 느낌에 외삼촌임을 아시고 믿음이 있는 사람을 고령으로 심부름을 보내었다. 저의 백부님은 외숙모에게 글을 배워 외숙모와 생질 사이에 서로 스스럼없이 지내는 사이였다. 편지 내용은 너의 형수를 모시고 모월 모일 길림역에서 만나자는 연락 편지였다. 할머니께서는 날짜를 분명히 저에게 말씀을 해주시었으나 나는 그사이 까맣게 잊어버리고 있었다. 몹시도 추운 겨울이라는 것만 알 뿐이다.

강태정은 친정에 이삼일 다녀온다며 집을 나서 대구에 생질집으로 가던 중 사진관이 보여 사진을 1장 찍고 이틀을 지나 삼일 늦은 아침을 먹은 후 대구역으로 가면서 사진을 찾아 역에서 시동생을 기다리고 있었다.

상학은 이틀 후 이른 아침을 먹고 대구에 다녀오겠다며 집을 나서 대구역에서 두 사람은 만나 부부로 가장하여 집안 어른들을 속이고 길림행 열차에 몸을 실어 길림역에서 내려 십 년이란 세월에 두 형제는 서로 알아보지 못하고 옆을 스쳐지나 다닌다.

중국 사람으로 변장한 형과 동생이 서로 지나쳐 다니기에 강태정은 시동생을 불러 중국 방한모를 쓰고 청색 중국 옷을 입은 사람 옆에 가 조선 고령 가는 열차가 몇 시에 있는지 물어보라고 일러주었더니 상학이 형수가 시키는 대로 말을 하다 고령 소리에 상대편에서 알아보고 "상학이냐?" 하며 상대편에서 끌어

앉는다. 중국인으로 변장한 형을 못 알아본 동생이었다.

"형님! 형수님 저기 계십니다." 10년이란 세월이 흘러 부부 손 마주 잡고 서로 얼굴 마주 보며 말없이 눈물만 흘리며 서 있는 모습을 보고 있는 동생이 먼저 입을 열어

"형님! 형수 춥고 배고프니 집으로 갑시다." 며 말을 건네었다.

상학이 대구 볼일 보러 가서 6일 만에 나타나니 부모님과 형제들이 걱정이 되어 야단을 치신다. 낯선 사람이 집 주위에 보여도 죄인처럼 움츠리며 벌벌 떨어야 하는 환경이라 부모님에게는 속일 수 없어 작은형수 형님한테 데려다주고 왔으니 누구에게도 말하지 말아야 한다며 다짐을 하였다.

강태정은 10년이란 세월 동안 나라를 찾으려는 남편을 오직 사진 한 장만으로 위안을 받으며 살아온 아내를 대하는 남편으로 용서를 빌 면목도 없어 고개만 숙여 고맙고 미안하다는 말밖에 할 말이 없었다.

길림에서 활약할 당시에 10년이란 세월이 흘러 아내를 데려와 가정을 가졌으며 길림에서 첫딸을 안고 이름을 길선이라 지었다고 했다. 그 후로 남매를 두어 삼 남매의 아버지가 되었다.

1937년 임시정부가 중경으로 옮겨감에 따라 부주석 김규식과 함께 쓰촨성 손가와 위안으로 이주하여 구국 투쟁을 하였다. 김규식은 김상덕이 서울 생활 시작부터 도움을 주는 스승이자 은인이었다.오직 구국의 일념으로 나라만을 생각하며 중국 천지로 만주로 다니느라 가족을 돌볼 사이가 없어 가족들은 낯선 이국만 리에서 모진 풍상과 피난살이에 쫓겨 다니다 아내는 병을 얻어 십 년을 기다려 사랑하는 가족을 망국의 한을 품고 아내와 막내딸을 이국땅에서 타계하여 화상산에 묻혔다. 한 많은 삶을 살아온 유골은 해방된 조국으로 돌아오지 못하고 이국 만 리에 누워 있다.

먼저 저세상으로 떠나보내는 가슴 아픈 사연이며 어린 남매는 중국인 고아원에 맡겨 두고 오직 나라만을 위해 구국에 독립운동을 전개하였다.

1942년에는 임시정부 국무위원 학무위원장이 되었고, 1945년 8월 조국 광복과 더불어 국무위원 문화부장이 되어 김구 주석과 함께 일진으로 귀국하면서 어린아이들 남매는 중국에 두고 귀국한 김상덕은 26년 만에 귀국하여 고향 땅을 찾으며 부모님은 돌아가시고 계시지 않아 서며 스승의 집으로 가시어 마당에서 화문석을 펼쳐 방에 앉아계신 백발의 어르신에게

"소생 상덕이 이제야 스승님에게 문후 올립니다." 하시며 큰절을 하시던 모습은 어린 소녀인 나에게는 너무도 근엄한 모습이라 지금도 저의 귀에 쟁쟁 들리는 듯 눈에 삼삼하옵니다.

김상덕은 1947년 미 군정에 과도 입법회의 입법위원으로 활약하는 한편 모교인 경신 중·고등학교의 교장으로 교육에 심혈을 기울여 힘을 보태기도 했다. 1948년 총선에서 초대 재현 국회의원으로 당선되어 헌법 기초의원으로 선임되었고 특히 반민족 행위 특별조사위원회의 위원장으로 선임되어 친일세력의 숙청에 힘을 쏟았다.

김상덕이 혁혁한 독립운동가 중에서 국민적인 관심이 쏠렸던 반민 특위 위원장을 맡게 된 것을 두고 당시 반민특위 총무과장 등을 역임한 이원용은 "덕망도 있고 또 신명을 바쳐서 독립운동을 하신 분이고 해서 반민 특이 위원장으로 적격이라고 해서 피선된 모양"이라고 증언했다.

1953년 초겨울인 것 같다. 아버지께서 나에게 아침 먹은 후에 봉덕골(한 연지동)에 가서 일손이 부족하니 도와주라고 하시어 큰 할아버지 댁에 장정 6명과 아저씨 형제분과 아버지가 "늦은 점심 겸 밥을 양껏 많이 먹어라."라며 서로 권하며 먹고 나드니 각자 바지게에 꼭 갱지와 삽을 얹어 나가시며 나에게 설거지 끝

나면 집으로 가라고 하며 장정들을 데리고 어디를 가신다.

30여 년도 지난 오래된 산소를 1953년 10월 말 경에 이장을 하지 않으면 산소를 파헤쳐 백골을 아무 곳 에나 버리겠다고 산주에 으름장에 서둘러 이장을 하고 오신 저의 아버지의 말씀이 "사람의 인심이 이렇게 무서워서 어찌 살겠나." 하시며 탄식하던 말이 그 당시에는 알아듣지를 못하였으나 평전을 보고서야 어렴풋이 알 것 같았다.

그 이후로 나는 결혼을 하여 고령을 떠나 자식들과 먹고살기 급급하여 내 생활에 쫓겨 살다 늦어진 산수를 넘겨 할 일 없는 늙은이가 되어 여러 도서관을 전전하였다.

2015년도 달서 노인복지관 도서실에서 대구은행에서 발간한 책자 같은 한 잡지에서 할아버지의 존함을 보게 되었다. 혹시 동명이인인가 여겨 읽어보다 할아버지임을 알게 되었다.

동란 당시에 함께 납북되어 가다가 관서 벽동에서 돌아가신 어른 한 분이 계셨는데 그 어른이 상해임시정부에서 문화부장을 역임하시고 경북 고령 초대 국회의원을 하신 분이라고 알게 되었다고 쓰여 있었다. 그리고 밑에다 '혹시 이 글을 보시고 궁금하신 분은 대구은행 본점으로 연락해 주세요.'라고 쓰여 있었다.

당시에는 할아버지와 가족들에 생사를 전년 알 길이 없어 체념을 하고 잊으려고 하였다. 1950년 6.25 동란으로 피랍되어 굴하지 않고 항거하며 가시다가 관서 벽동에서 모진 세파에 불운한 운명을 포승줄에 묶여 한 많은 생을 마감하셨다는 것을 알게 되었다.

그 이후로 전국 문화유산 답사기를 저작하신 유흥준 교수님께서 이북을 답사하시면서 쓰신 글 중에서 평양에 재북 인사 묘역에서 상해임시정부에서 문화부장을 역임하시고 고령 초대 국회의원 역임하신 김상덕 지사의 묘비를 보았다는 글 기를 본 이후로는 고생만 하시다가 가신 것을 알게 되었다.

한평생 가족보다 나라만을 위해 온몸 받쳐 헌신하신 애국지사에 대해 이 나라는 너무 무책임하며 소외된 일이며 모든 공적이 숨겨 져 있다는 것을 생각하니 죄스럽고 미안하여 몸 둘 바를 모르겠다. 그러나 나 역시 배운 것 없어 무식하여 알고 싶으나 어떠한 경로로 알아보아야 하는지도 모르며 할아버지의 가족들에 대해서는 알 길이 없어 잊으려고 노력하였다.

2017년 여름에 도원동 동사무실 3층에서 경북 대구 광복회 아카데미 강습이 있어 혹시나 할아버지에 대한 이력이나 알기 위해 등록을 하여 강의를 강독하였으나 할아버지의 함자는 한 번도 들어 보지 못하고 두 번의 견학이 있어 안동 독립기념관에서 할아버지의 함자를 고령지역 명패에서 찾게 되어 너무 반가웠으며 할아버지의 함자 위에 내 손을 올려 묵념으로 인사를 드렸다.

혹시나 하여 천안 독립기념관에 문서 보관에 메일로 조회를 해보았으나 2.8 선언문 사건 외에는 이력은 하나도 없으며 학력도 나오지 않았다.

가족들의 생사나 알아보려 하였으나 알 길이 없어 완전히 잊어버리고 있다가 우연히 할아버지의 평전을 1918년 10월경에 읽어보게 되었다.

내가 소녀 시절 아버지와 할머니에게 들은 이야기며 직접 할아버지에게 들은 이야기도 어린 나이에 들은 이야기가 아직도 생생하게 내 귀 전에 맴도는 기억이 남아있는 기록이 한 곳도 없으며 호적에 진위 외조부모님의 함자가 뒤바뀌어 있었다.

평전을 보고서야 풍찬 노숙을 하며 오직 독립운동에만 몸 바쳐 사신 분의 기록이 없다는 것은 누군가에 의해 숨겨진 것이 아닐까? 의문스러우나 무능한 나로서는 더 이상 찾을 길이 없어 도서관에 드나들다 대구 경북 광복회 아카데미라는 강의를 듣게 되었으나 할아버지의 함자는 단 한 번도 들어 보지도 못하였다. 할아버지와 가족들의 생사를 알 길이 없으며 평전을 읽은 후 소식이 단절된 원인을 조금은 알 것 같았다.

'왜 하필 그 많은 독립운동가들 중 할아버지께서 반민특위 위원장을 맡으시어 친일파를 청산하다 평생에 힘든 고생을 하며 많은 일을 하신 기록을 모두 삭제당하는 억울함을 당하신 것일까?'라고 생각하면 생각할수록 통분함을 억제할 수가 없다.

'친일파들의 몰상식한 행동은 하늘이 두렵지 않은가?' 언젠가 하늘은 반드시 응징을 할 것이다. 반민 특이 위원장이 되시어 모든 공적을 삭제를 당하시어 자자손손까지 고생을 하며 누명까지 쓰게 되었으나 진실은 반드시 밝혀지게 되어있다.

평전을 본 이후로 달서 복지관 도서관을 찾아보았으나 도서관을 옮기면서 책자가 보이지 않으며 대구 은행 도서관도 지하로 옮기면서 폐책자는 지하 창고에 있는지 열람실에는 보이지 않아 뒤돌아서야만 하였다. 대구 은행 본점 지하 창고에 누적되어 있는 책자가 햇빛을 보는 날에는 진실이 밝혀질 일이다. 언제가 될지 모르겠지만 누구인가에 의해 반드시 진실은 밝혀질 것이라 나는 믿어 의심하지 않는다.

평전에는 1956년 4월 28일에 돌아가셨다고 되어있다. 대구은행에서 발간한 책자의 글을 쓰신 분의 기록이 맞을 것 같으면 기사를 쓰신 분이 생존해 계실지 모를 일이라 조바심이 앞선다.

대구은행에서 발간한 책자에는 1950년 동란에 함께 납북되어 가시다가 관서 벽동에서 운명하신 어른이 대한민국 임시정부에서 국무위원 문화부장을 역임하시고 경북 고령 초대 국회의원을 역임하신 어른이 김상덕 선생님이라고 알게 되었다고 쓰여 있다.

1990년 4월에 정부로부터 건국훈장 국민장이 추서되었고 1993년에 고령군민의 의하여 고령주산 기슭에 그의 사적비가 건립되었다.

　고령주산기슭 지산동 입구에 광복 지사 사적 비문

　광복지사 영주 김상덕 선생사적비
　광복지사 김상덕 선생의 자는 현여요 호는 영주며 본관은 경주이다
　일본 조도전 대학에 유학하여 1918년에 재동경 조선독립단을 결성하여 대표로 피선되고
　1919년 2·8 독립선언 민족 선언 중 체포되어 투옥되었으며 이후 상해로 망명하여 김좌진 장군과　　조선독립단을 일으켜 조국의 조선 독립 투쟁에 앞장섰다
　상해 임시정부 학무위원장 문화부장으로 활약하였고 광복 직후에 김구등과 귀국하여 과도 입법회의 위원, 재헌 국회 위원, 헌법 기초 위원, 반민 특위 조사위원장을 역임하였다
　6·25 동란 중 불행히도 피랍되어 생사 관계를 알 수 없다
　1990년 건국 훈장 국민장이 추서되었다 소재지 고령읍 가야공원 내
　비문 문학박사 이가원 찬
　건립 추진 위원회 1992년

　* 참고로 아저씨에게 드리는 말
　할아버지의 평전을 저작하신 김삼웅 선생님에게 진심으로 제가 고맙고 감사를 드린다고 전해주세요. 도서관에서 본 책자에서는 함께 납북되어 가시다가 관서 벽동에서 돌아가신 어른이 임정에서 문화부장을 역임하시고 경북 고령 초대 국회의원을 하신 분이라고 적혀 있었습니다. 그래서 저는 동란에 납북되신 것으로 알게 되었습니다.

그 책을 볼 당시에는 내가 글을 쓴다는 것을 꿈에도 생각하지 못했으며 할아버지의 가족들에 소식을 알아보려 하였으나 알 길이 없어 배우지 못한 무능함을 스스로 자책하며 잊으려고 하던 중 평전을 보게 되어 할아버지의 모든 것이 삭제되었다는 것을 알게 되었습니다.

제가 부탁하고 싶은 것은 대구은행 본점 폐문서 보관실에 그 자료가 보관되어 있다는 것으로 알고 있습니다. 한번 찾아보았으면 싶으나 제 능력으로는 어려울 것 같아 여쭈어봅니다. 글을 쓰신 분은 여태 생존해 계시면 축복이지만 그리 믿기지 않으며 저의 능력은 여기까지가 한계인 것 같아 죄송합니다.

3 광복회 아카데미 수업

모처럼 외출을 하려고 버스 정류소를 가는데 도원동 주민센터 앞 사거리에 대구 경북 독립운동자 아카데미 현수막이 걸려있다.

주민센터 앞에 걸어두었으니 '달서구청에서 걸어두었겠지.' 생각하며 개강 날짜를 보니 하루 강의가 끝나있다. 생각할 틈도 없이 버스를 타고 달서구청으로 달려가 담당 부서를 찾아가 등록하게 해달라고 하니 정원 등록이 끝났다고 한다.

너무 허탈하여 할 말을 잃고 서 있으니 담당자가 "혹시 등록을 하고도 수강을 하지 않을 사람이 있을 수도 있으니, 전화번호와 이름을 적어주면 공석이 나오면 연락을 주겠다."라고 하여 메모를 남겨두면서 강의실 위치를 물으니 도원동 주민센터 3층이라고 알려준다.

돌아오는 길에 사무실에 들려니 문이 잠겨있다. 문에 쪽지가 붙어있다. 잠깐 사무실을 비우니 내일 10시 이후에 찾아 달아는 쪽지가 붙어있는 것을 보았다.

다음 날 10시에 찾아가니 사무장님이 계시어 수강 신청을 부탁드리니 어제 달서구청에 신청을 한 분이 있으니 알아보고 연락을 주겠다고 하시기에 "어제 내가 구청에 신청을 하였다."라고 말씀을 드리니 내 이름을 알고 계시었다.

수강 신청을 하면서 "친구 한 사람 데려와도 되는지 물어보니 4명이 그만둔다고 하니 데리고 오라."하여 이국자 씨에게 전화를 하여 함께 1주에 1일 2시간의 수강 신청을 하였다.

독립 영웅들의 피눈물 나는 고초를 이야기로 들어보며 우리들의 현실은 너무도 안이한 생활이 죄스럽고 무책임한 것 같아 민망하기도 하다. 광복회의 강사님들, 종사자님들의 노고에 너무도 고맙고 감사한 교육에 진심으로 감사드리며 할아버지의 환영을 떠올려본다.

내가 10살 무렵 진위 외할아버지가 독립운동하던 이야기들을 들으면서 독립운동이 무엇인지도 뜻도 잘 모르면서 임시 정부 요인들과 귀국하여 고향 고령에 오시면 할머니와 아버지가 큰 할아버지 댁에 가실 때마다 할머니를 졸라 할머니 손잡고 가서 어른들 사이에 끼여 할아버지 독립운동하시던 이야기를 어른들 틈에 끼여 졸지 않고 듣고 있으면, 할아버지께서 내 머리를 쓰다듬어주시며 "공부 열심히 하여 훌륭한 사람 되어 나라사랑 잊으면 아니 된다." 하시던 말씀은 지금도 내 귀에 쨍쨍하게 들린다.

　할아버지께서는 1919년 2월 8일 일본 동경에서 11인의 독립 선언문 선언인의 한 사람으로 현장에서 체포되어 7개월 반에 형을 치르고 조사 기관을 합치면 일 년을 넘겨 방면되시어 나오시며 집에도 들리지 않고 바로 상해임시정부로 가시어 독립운동을 하시며 임정에서 국무위원 문화부장으로 일을 하시다 해방이 되어 김구 주석과 함께 귀국하시어 초대 고령 국회 의원에 당선되어 헌법 위원으로 계시다가 6·25동란으로 소식이 단절되어 생사를 알 길이 없어 잊고 살던 어른이시다.

　할아버지는 6·25동란 이후로는 나의 생활이 힘들어 소식이 두절되어 잊고 살다가 요즘은 내 생활이 소일 없는 늙은이가 되어 도서관을 드나들다 독립군의 활약에 기록을 찾아보다 할아버지의 존함을 보게 되었다. 동란에 납북되어 북으로 끌려가시다가 관서 벽동에서 돌아가셨다는 글을 보게 되었다. 할아버지의 함자는 김자 상자 덕자 이시다.

　까마득히 잊어버리고 살다가 혹시 할아버지 가족들의 소식이나 알아보려고 도서관에 가던 길에 광복회 아카데미 현수막을 보게 되었다. '혹시나 가족들의 소식이나 알 수 있을까?' 하여 매주 열심히 경청하였으나 아무런 단서도 찾을 수가 없었으며 할아버지의 함자도 한 번도 들어보지 못하였다.

　천안 독립 기념관 문서 보관에도 일본 동경에서 1919년 2·8

선언 인의 한 사람이라는 것 외에는 학력 활동하시던 모든 것이 삭제되어 있었다.

상해임시정부에서 국무위원 문화부장을 역임하신 분에 대해 모든 이력이 삭제된 것은 '누구 인가에 의해서 삭제가 되었다.'고 생각이 들었다.

너무도 오랜 세월 나의 능력 밖의 일이라 여겨 포기를 하려는데, 우연한 기회에 할아버지의 평전을 보게 되었다. 평전을 본 이후로 할아버지의 소식이 단절된 연유를 알게 되었다.

반민특위 위원장의 직책으로 지내시어 친일파를 색출하시다 동란 중에 납북되시고 소식이 단절되었었다는 것을 알게 되었다. 자신의 목숨과 가족들의 안위도 생각지 않고 오직 나라만을 위해 풍천 노숙을 하며 어린 자녀 남매를 중국인 고아원에 맡기고 독립운동을 하신 분에 대한 이력이 누군가에 의해 고의적으로 모두 삭제된 것을 알게 되었다.

가족의 안위도 돌볼 사이도 없이 오직 나라만을 위하여 살아오신 분의 행적을 모두 삭제를 하는 친일파들에 오만한 행동은 천인공노할 일이다. 매국노들에게는 언제인가 하늘의 응징이 있을 것이다.

2017년 10월 27일

4 국채보상운동 기념관 견학

  대구 경북 광복회 아카데미에서 3번째 수업은 국채보상운동 기념관 견학 가는 날이다.

  오전 8시에 상인역 롯데 백화점 뒤에 우리를 태울 버스는 벌써 대기하고 있다.

  모두들 밝은 얼굴들 즐거운 표정들이다. 오전 9시에 차는 출발하여 국채 보상 기념관 앞에 우리를 하차시켜준다. 기념관을 돌아보며 영상물도 보면서 우리 선조들의 애민 사상에 고개가 숙여진다.

  을사늑약 1905년에 강압 체결한 일제는 한국 통감부를 설치하여 1906년 혹독한 식민통치를 시작했다.

  이때 식민지 통치자금으로 한국정부에게 부과한 외채가 1,300만 원이었다. 대한 제국의 1907년에 세출 예산과 맞먹는 이 거액의 차관은 국민의 세금을 담보한 것이어서 국가의 존망이 달린 문제라는 위기의식이 전국에 확산되었다.

  당시 대구에 애국 계몽 단체 광문회는 1906년 1월부터 경상북도 내 41개 군에 학교를 설립하는 이른바 신교육운동을 전개하고 있었다.

  국가의 위기는 국민이 목숨을 걸고 극복해야 하는 것!

  일제의 대구 이사청이 설립되면서 김광제 등 광문회 회원[도내 400여 명]들은 대구만의 소를 설치하여 자치권을 위한 단결을 외치며 일제에 항거했다.

  서상돈은 1907년 1월 19일 열린 대구 광문회 특별회의에서 이 연회 국채보상운동을 건의했다.

  "국채 1,300만 원은 국가에 존망이 달린 일이니 갚으면 나라는 존귀하고 못 갚으며 망하는 것이니 국민의 힘으로 이를 갚아 국토와 국권을 보존합시다."라고 건의를 하였다.

  국채를 갚기 위해 남자들은 금연과 금주를 하여 모은 돈으로 부녀자는 혼수품인 금은붙이 들을 내어놓으며 절미운동으로 남녀노소 가리지 않으며 동참을 하였으며 외국에 거주하는 동포들도 힘을 보태었다.

국채보상운동은 1907년 2월에 시작되어 일제의 탄압과 내부 분란으로 소기의 목적을 이루지 못하고 중단되고 말았다. 1909년 11월에 조직된 국채 보상 처리 회에서는 남은 의연금으로 토지를 매입하고 민립 대학을 건립하려 하였으나 이마저도 통감부의 거부로 뜻을 이루지 못하였고 경술국치 이후 일제에게 강탈당하였다.

경상북도 성주군에서는 모금한 의연금을 일제에 넘길 수 없다며 의연금으로 성명 학교를 세워 애국교육을 실시하는 등 전국 각지에서 남은 의연금으로 애국교육을 하는데 사용하기도 하였다.

국채보상운동은 처음 의도되었든 1,300만 원의 국채를 갚아 경제 국권 회복을 이루겠다는 목표를 달성하지는 못하였으나 민족적 결집에 의한 민족의식에 함양과 독립사상을 고취하였다.

신분 계급 성별 연령 종교와 국적까지도 초월하여 전개된 국채보상운동은 일제의 온갖 책동으로 좌절되었으나 이때 형성된 국민의 결집된 힘과 애국정신은 1919년 3월 1일 독립만세운동, 1920년대의 물산장려운동과 민립대학 설립운동 등 일제 식민지 치하에서 독립운동을 끊임없이 지속할 수 있었던 민족의 저력이 되었다.

선현들의 우국충정을 기리며 나라 위한 가르침을 뼈저리게 느끼며 배우는 사간이 되었고, 강사진 및 여러 선생님들의 노고에 감사하며 좋은 가르침 잘 배웠습니다.

고맙습니다! 감사합니다!

2017년 10월 6일

5 남한산성

남한산성은 두 번이나 가보았으나 또다시 가고 싶어 욕심이 나는 산성이다.

2005년도 초에 처음 남한산성에 올라가 수어장대에서 본 남한산성은 산이 완전히 병풍처럼 둘러쳐 마을을 품고 있어 여니 시골 마을과 다르지 않으나 산세는 아녀자인 내 눈에도 철벽처럼 둘러쳐 요새 중에 요새로 보인다. 많은 등산객들이 드나들고 있다.

내가 처음 산성에 오를 때에는 수어장대의 우람한 모습이 우뚝 서 있으며 행궁을 지을 나무 기둥을 주춧돌 위에 세우고 있었다. 그 이후로 한 10여 년이 지나 다시 남한산성을 사위의 도움으로 다시 찾아가게 되었다.

병자호란에 인조 임금님은 남한산성으로 몽진을 가시었고 강화도로 피란 간 왕실 가족들이 포로로 잡혔다는 소식을 접하고 항복을 결심을 하게 되었다.

남한산성에 은거하시던 임금님은 47일째 되는 날 임금님은 곤룡포를 입지 못하고 청나라의 평민의 옷인 푸른 옷을 입고 정문인 남문이 아닌 작고 초라한 서문으로 항복을 하러 나가는 뒷모습을 보고 백성들이 눈물을 흘리면서 통분하여 울었다고 한다.

임금님은 삼전도까지 나아가서 수 향단 아래에서 삼배구고고두례 하며 항복을 하였다.

한번 절하고 세 번 머리를 땅에 두드리는 것을 3회씩 하는 이 예식은 청나라 전통 예식 중 하나로 완전히 항복을 하겠다는 어미를 가지고 있다고 하는 항복의 절차이다.

항복을 하던 날은 1637년 1월 30일이었으니 지금으로부터 400년도 지나지 아니하였는데 한때 동아시아를 주름잡던 청나라는 지금 중국의 소수민족으로 흔적도 알 수 없이 사라지고 그때 당시에 머리를 조아리고 수치스러운 항복을 하였지만 지금 세계에서 몇째 손가락 안에 드는 우리나라는 비록 나라는 작은 나라이지만 이만큼 강성한 나라가 되었다.

병자호란의 수치와 통분을 절치부심하여 노력한 결과라고 본다. 병자호란을 겪고 일제강점기에 통한을 겪어낸 남한산성은 이러한 굴욕을 당하지 말자는 다짐에 맹세로 세계문화유산으로 인정을 받았다.

병자호란 당시에 46박 47일을 청나라와 대치하며 고립무원에 현장에서 울분과 통한을 번민하든 인조 임금님께서 괴로운 심정을 토로한 짤막한 시가 있어 옮겨본다.

　　외딴 성에 갇혀 화친은 깨어졌는데
　　안으로는 기댈 만한 세력이 없고
　　밖으로는 개미 새끼 한 마리 지원이 없구나.

시문 속에 임금님의 절박한 심경의 고통스러운 전시 상황을 고스란히 느낄 수가 있다.

전쟁이 끝난 50년 후 첫 임금 숙종에 이어 영조, 정조, 철종, 고종에 이르기까지 효종 능과 순조 왕릉 행차에 남한산성 행궁에 머물러 선왕의 추모와 행적을 계승을 본받으며 병자호란의 기억과 군사적 거점으로 삼고 전화위복으로 삼고자 하였다.

　　정조 임금의 시
　　층층 봉우리 겹겹 돌로 쌓은 한남성이요
　　서장대 높직하니 군사를 주둔시킬만하네
　　삼전도에 완악한 빗돌 서있는 걸 보게나
　　당시에 진평 같은 계책 없었든 것이 부끄럽구나.

인조 임금이 남한산성에서 내려와 삼전도에서 항복한 사건을 "성하 지명"이라 하는데 우리나라 사람이라면 누구나 남한산성을 떠올렸으며 병자호란에 대한 기억은 패전으로 끝난 것이 아니라 평상시 국력을 비축해 두었다가 북벌을 실현하여 청나라에 대한 억을함과 수치심을 씻어야 한다는 "복수 설치"에 마음다짐을 가져야만 하였다.

남한산성은 유비무환과 와신상담하는 곳으로 방문하게 되는 곳이다.

정조 임금님은 조선이 예의를 제대로 아는 문화국가이지만 병자호란 같은 전쟁의 재발을 막을려면 군사력을 갖추어야 하며 이 때문에 자신은 군사훈련을 참관한다고 말씀하셨다.

병자호란은 패배로 끝났으나 남한산성은 청나라에 대한 복수를 다짐하는 상징물이 되었다. 병자호란의 아픔을 기억하면서 재발을 방지하기 위하여 군사력을 갖추어야 한다는 사실을 깨달아 정신을 가다듬는 장소가 바로 남한산성의 연무관이다. 이런 문화재를 훼손되지 않게 보존하는 것이 남한산성의 역사적 문화적 가치를 높이는데 크게 기여할 것이다

연무관 기둥에 주련의 내용
옥 류 금 성 만 인 산
─ 만길 높은 산에 옥처럼 단단한 보루와 철벽같은 산성
풍 운 용 호 생 기 령
─ 바람과 구름과 용과 호랑이가 기이한 힘을 발휘하네
각 우 궁 상 동 계 림
─ 각우 궁상 음악 소리 진동하고
밀 전 총 본 공 삼 본
─ 은밀히 파 뿌리 전하자 삼본이 텅 비었네

남한산성 행궁의 역사적 가치를 찾아서 주제별로 행궁 탐방과 해설을 통해 행궁의 문화역사와 가치를 유네스코 세계문화유산 보전을 위한 사랑을 실천하는 곳으로 소중한 시간을 한 번 더

가져 보고 싶은 문화유산이다.

잠실 사거리에서 송파대로 가 석촌 호수를 양쪽으로 동서 호수로 갈아 놓아 동쪽에 롯데월드타워 서쪽 백화점과 놀이공원 쪽으로 들어서면 청나라 승전비가 볼썽사납게 우뚝 서 있다. 우리 백성들이 분개하여 비석을 송파나루 뻘밭 물속에 묻어버렸다가 후세들에게 나라를 굳게 지키라는 표본으로 '와신상담' '절치부심'의 뜻으로 다시 원래의 자리로 옮겨다 세웠다고 한다.

남한산성 도립공원 세계문화유산 등재와 문화제 남한산성은 열린 박물관이다.

[수어장대] [수어장대편액] [무 망루] [성각깃발] [옹성] [남한산성종각] [연무관] [동장대암문]
[침 괘 정] [국 정사] [남한산행궁] [남 한 루] [내 행전 [좌 승당] [북 행각] [후원] [한 남루]
[내 행전] [좌 승당] [북 행각] [후원] [한 남루] [좌전 북문] 남한행궁에 신익희 동상이 있다.

해공 신익희 선생님은 남한산 초등학교 졸업

1945년 중국에서 쓴 글 중에서 나라는 반드시 완전히 독립되어야 하고 민족은 반드시 철저히 해방되어야 하고 사회는 반드시 자유평등하여야 한다고 말씀하셨다.

6 삼전도비

  잠실 올림픽대로 옆에 석천 호수를 잠실 송파대로가 동서로 갈라놓았다.
  동호수 쪽에 롯데타워 서호수 쪽에 롯데월드 쪽 길옆에 삼전도 비석이 우뚝 서 있다.
  병자호란 시절 청나라의 승전비 비가 우뚝 서 있어 자존심과 수치심에 무심히 지나쳐 버렸다.
  동호수 쪽에 우리나라에서 제일 높은 롯데 타워 123층이 웅장한 건물로 높이 솟아 용트림을 하고 있으며 꽃반지 길에는 청춘 남녀들이 쌍쌍이 거니는 데이트 길로 서호수 쪽에 롯데월드 백화점과 놀이공원은 언제 보아도 활기가 넘치는 생동감을 준다.
  하늘의 구름들은 물에 잠겨 동서를 오가며 물 위의 오리들은 유유히 동서로 넘나들며 평화롭게 노닐고 문명의 기기들과 사람은 넓은 도로가 동서로 갈아놓아 사람과 차들은 대로를 건너다녀야만 하였다.
  도심 속에 호수 공원 꽃반지 길을 산책을 하다 삼전도비가 생각이 나 그곳으로 발길을 돌렸다. 삼전도 비석을 보면 누구나 울분을 참을 수가 없을 것이다.
  조선 왕조 창업된 지 246년 비 높이 5.7미터, 비 신 높이 3.95미터, 폭 1.4미터 그 옛날 송파나루를 곁에 세워둔 것이 지금은 석촌 호수 서쪽 길가에 있다.
  우리 백성들이 병자호란에 청나라의 승전비가 수도 서울 시내에 서 있는 것이 볼썽사납고 통분하여 백성들이 비를 송파나루 물속에 처박아 버렸다가 오랜 시일을 지나 우리들의 단결심과 번영을 위해 절치부심을 위하여 다시 끄집어내어 삼전도의 통분을 잊지 말자는 뜻으로 제자리에 세워두었다고 하였다.
  그 옛날 송파나루를 곁에 두고 잠실벌 미나리밭이 변하여 우리나라에서 제일 높은 123 층 높이의 월드타워 건물은 하늘을 찌르듯 위용을 자랑하는 건물이 되어 용트림을 하고 있으며 건너편에 롯데월드 백화점과 놀이공원은 문명의 가치를 자랑하고 있다.

1988년도에는 전 세계의 젊은 영웅들이 다 모여 자기들의 기량을 펼치며 재능을 보이며 평화를 다짐하는 큰 잔치를 치르기도 하였다.

국제적으로도 많은 행사를 치르기도 한 잠실벌은 그 옛날을 잊지 않고 우리의 용기와 의지로 세계만방에 알리게 된 곳이다.

굴욕의 수치심을 교훈삼아 인내하며 다져온 우리들의 노력은 번영의 길로 이어져 문화 예술뿐만 아니라 기술 재력까지 세계인들이 부러워하며 우리 문화 문물을 배우고자 노력하며 우리나라로 모여들고 있다.

볼품없는 미나리벌 밭이 황금알이 되어 문화 문물에 생동감을 불어 넣고 대한민국 수도 서울의 심장부로 군림하게 꽃을 피워 세계만방에 알리고 있다.

인조 임금님을 자기 발아래 굽혀놓고 내려 보던 청나라는 지금 어디에 있는지? 그 권세는 어디로 없어져 버렸는지 알 길이 없으나 그 시절의 굴욕을 절치부심하여 지금 우리나라는 세계인들이 부러워하는 강국이 되어 우리의 문물을 배우기 위해 세계의 젊은이들이 우리나라를 찾아 들고 있다.

우리들은 더욱더 강건하게 단결하여 내 나라를 위하고 무궁한 번영을 위하여 열심히 노력하여 우리의 나라 대한민국을 빛내자!

세계만방에 알려 영원히 무궁화 강산 대한민국 만세! 만세! 만만세다.

7 나는 대한의 기생이다 [해어화]

　화창한 봄날 복사꽃 진달래꽃 붉게 산 능선 타오르는 지리제 고개를 넘어오는 최순영, 진주 권번 행수 난향의 발걸음은 마음과는 달리 무겁기만 하다.

　그리도 뵙고 싶은 어머니의 병환이 위중하다는 연락을 받고 꿈에서도 잊지 못한 고향 집으로 어머니를 뵈러 가는 길이 왜 이리 멀기만 하는 것이냐?

　이 고개를 넘어 진주로 갈 적에는 어머니와 어린 두 동생과 이별하여 13살 어린 나이에 외숙모님을 따라 진주 권번으로 팔려 가던 옛날 자신의 모습이 눈앞에 아른거려 깊은 한숨이 자기도 모르는 사이에 새어 나온다.

　마음속으로 어머니를 불러 보며 그리운 고향 집 떠나온 지 30년이 다 되어가는 길이건만 길이 조금 넓어진 것 말고는 떠나올 때와 똑같은 길이다.

　고개 넘어 개실마을 산모롱이를 돌아지나니, 어디선가 어린 소녀의 노래소리가 청아하게 들려온다.

　발길을 멈추고 사방을 둘러보니 개울 건너 실개천 산자락에 7~8세가량 된 소녀 아이가 쑥을 캐면서 혼자 노래를 부르고 있다.

　"펄펄 나는 저 꾀꼬리는 짝을 지어 정다운데 외로운 이내 몸은 누구와 함께 돌아갈까? 에헤야 데헤야 얼씨구나."하며 신나게 노래를 부르며 칼질을 부지런히 하고 있다. 제법 당차고 야무진 노래 소리이다.

　난향이 소녀 시절 기억으로 뒤돌아간다. 어머니와 함께 바구니 들고 산으로 들로 다니며 약나무와 약초 뿌리를 찾아 돌아다니며 아버지 병 수발 하였건만 아버지는 우리 네 식구 버리고 이승을 하직하시었다.

　난향이 소녀 아이의 나물 바구니를 보며 노래 소리에 자신의 어릴 적 모습이 눈앞에 아른거려 자신도 모르게 한숨이 휴 하고 새어 나오며 눈시울이 촉촉이 젖는다.

어린 소녀 시절 배고픔을 참으며 어머니와 함께 산으로 들로 식구들 먹을거리를 찾아 나물 바구니를 들고 산천을 돌아다니며 초근목피에 생명줄을 걸던 생각이 눈앞에 아련히 스쳐 지나간다.

보통 산다는 집에서도 늦은 봄보리 고개 시절에는 집집마다 나무껍질 풀뿌리를 찾아 산으로 들로 다니며 먹을거리를 찾아다니며 입에 풀칠을 해야 하는데 난향이 집은 특히 더 심했다.

아버지 오랜 병환으로 기울어진 살림에 돌아가시고 어린 삼남매와 어머니 4식구 끼니 거르기가 예사였다. 난향이 뒤를 돌아보며

"순돌 어멈! 우리 저 아이 만나보고 잠깐 쉬었다가 가세." 난향이 졸졸 흐르는 실개천을 건너 아이 옆에 앉으며,

"얘야! 나이가 몇 살이냐? 그 노래는 어디에서 배웠느냐?" 물어본다.

아이는 아무 말 없이, 고개를 들어 난향이를 쳐다보며, 생글생글 웃기만 한다.

천상의 월궁항아님이 환생한 양 사근사근한 눈매며 상아를 깎아 놓은 듯 오똑한 코는 양귀비가 무색하여 도망을 가야겠다.

옷차림이며 얼굴 모습은 시골 아이 같지 않은 조숙한 모습에 총명한 것이 똑똑하게 생겼다.

"얘야! 너의 이름이 무어라 부르느냐?"

"성은 연안 차가고 이름은 옥인데…" 당차고 야무지게 토막 말씨다.

"행수님! 무얼 그리 물어보시오. 그만 갑시다." 순돌 어미가 재촉을 한다.

"얘, 옥아 아까 그 노래, 다시 불러 보아라."

소녀는 아무 소리도 없이 생글거리며 난향이를 쳐다보더니 고

개를 숙여 나물을 뜯는 손놀림만 분주하다.

"얘야 네가 노래를 잘 불러서, 한 번 더 듣고 싶어서 그런다."

"그럼 이번에는 매화타령을 해볼까?" 난향이 놀란 소리로

"옥아! 매화타령도 부를 줄 아느냐?"

"잘은 못해도 조금은 하는데" 역시 말대답은 반토막 말씨다.

"그래 어디 한 번만 아는데 까지만 불러 보거라." 난향이 이런 보배가 시골에 숨어 있었을까? 생각을 하며

"어서 한 번만 불러 보아라." 하며 재촉을 한다. 옥이 손에 가지고 있던 칼을 나물 바구니에 놓으며, 난향이를 한번 쳐다보더니 노래를 부른다.

"좋구나. 매화로다. 어야디야. 어허야 에―디 어라 사랑도 매화로다.

인간 이별 만사 중에 독수공방 상사 난이로다

안방 건너 방 가루다지 국화 새김에 완자문 뉘란다.

어저께 밤에도 나가자고 그저께 밤에는 구경 가고 무슨 염치로 삼승 버선에 벌 받아 달라나.

나돌아 갑네 나돌아 갑네 떨떨거리고 나돌아가누나

좋구나. 매화로다 어 야 디야 에― 두견이 울어라 사랑도 매화로다.

그 담은 모르겠는데 또 있는지 끝인지 잘 모르겠다."

난향이 옥이 노래 소리에 정신이 뻔쩍 든다. 난향이 감탄을 하며 옥이를 바라보며 '진주로 돌아갈 때 데리고 가야겠다.' 생각하며 이런 보배를 두고 갈 수 없다. 혼자 속으로 다짐을 한다.

"얘 옥아 너의 집은 어디냐?"

"아버지는 무얼 하시느냐?" 물어보는 난향을 순돌 어미가

"행수님 별거 다 물어보고 하시네." 하며 나무란다. 옥이 노래 한 구절 부르더니

"인제 그만 됐지?" 말 대답을 하며 옥이가 손가락으로 개울 건너편, 산자락을 가리키며

"우리 집은 저 건너 산밑에 여섯 집 있는데, 맨 뒷집이 우리 집이고 아버지는 내가 나기 전에 죽어서, 나는 아버지 본적도 없어."

"그럼 오빠 언니는 있느냐?"

"오빠 둘하고 언니 둘하고 엄마하고 난데, 큰언니는 시집가고 같이 안 살아."

"그래 알았다. 나물 많이 캐거라. 나중에 또 보자." 난향이 어머니 드리려고 가져가던 떡 당세기 안에 절편 다섯 가래를 내어 손에 쥐어주며,

"집에 가져가 나누어 먹어라," 하며 내어주고 일어선다. 난향이 애연하여 가슴이 아려온다.

난향이 권번에 들어갈 적에 13살 어린 나이에 아버지 지병으로 돌아가시고 어린 동생 둘과 어머니 네 식구 피죽도 제대로 먹지 못해 동생 둘과 어머니를 위해 입 하나 덜기 위해, 남의 집 아기 봐주러가려고 마음을 굳히던 중 어머니의 친척의 도움으로 진주 권번으로 팔려 가던 시절 생각을 하니 눈가에 이슬이 맺힌다.

난향이 고운 용모와 영리하여 지금은 의젓한 권번 행수가 되어 어머니의 병이 위중하다는 연락을 받고 그립던 고향 산천 고곡동 어머니가 계신 집으로 가는 길이다.

마을 앞 늙은 고목 느티나무는 금년에도 유록색 잎을 무성하게 피우며 고향의 향기 물씬 풍기며 반갑게 반겨준다.

고샅길로 들어서니 어릴 때 같이 놀던 동무들과 술래잡기하며 놀던 소녀 시절이 선하게 눈앞에 아른거려 사방을 한 번 휘둘러 본다.

30년이란 세월에도 별로 변하지 않은 마을이 뒤로 초가 두어 채가 더 생겼을 뿐이다.

집에 들어서며 어머니를 불러 보지만 어머니의 대답은 들을 수 없으며, 동생 댁인 올케가 안방에서 나오며 반가이 맞아준다.

난향이 안방으로 들어가며 어머니를 애타게 불러 보지만 대답 없이 눈을 감고 누워 있다.

난향이 어머니 누워 있는 가슴 위에 엎드려 어머니를 부르며 일찍 찾아오지 못한 죄책감에 눈물이 끝나지 않아 울기만 한다.

어머님의 병은 점점 더 위중해지며 그리도 보고 싶은 딸이 왔건만 어머니는 혼수상태로 딸을 알아보지 못하고 눈을 감고 숨소리만 겨우 내신다.

어머님이 잠깐 잠든 사이 동생을 불러 옥이 이야기를 하며 그 집안 형편을 알아보라고 부탁을 하여두고 진주로 갈 때 데려가고 싶다며 이야기를 하였다.

어머님은 보고 싶은 딸을 곁에 두고도 알아보지 못하고 숨소리만 미약하게 쉴 뿐 혼수상태로 계시다 이틀을 넘기지 못하고 한 많은 세상을 하직하시었다.

난향이 어머니 장래 치르고, 삼우제도 끝나 진주로 돌아갈 준비를 하며 동생을 시켜 옥이 집에 문전옥답 다섯 마직지기 밭 다섯 마지기 내어주며, 옥이를 데리고 가서 호강시키며 잘 키우겠다는 약속을 하여, 옥이는 행수를 따라가기로 했다. 옥이 진주로 가는 날,

"작은 언니야, 나 진주 가서 돈 많이 벌어 언니 비단신 사다 줄게, 큰언니 비단신도 사고, 큰언니 보고 싶다." 하며 눈물을 보인다.

철부지 7살 옥이는 난향이 진주로 가는 날 고운 비단옷을 입고 좋아서 오빠 언니에게 자랑 하며 앞집에 동갑내기 영아 친구에게도 자랑하며 다닌다.

어머니는 연상 눈물을 훔치며 한숨만 쉬건만 가는 날은 돈 많

이 벌어 행수님처럼 엄마 호강시켜 준다며 뒤도 돌아보지 않고, 행수 손잡고 생글거리며 따라간다.

옥이 아버지는 조일합병의 울분으로 의령 의병모집에 매천 황현에 휘하에 동참하여 돌아가셨다.

어머니는 아들 형제 딸 셋 5남매, 옥이는 유복녀로 태어나 살림은 궁핍하여 남의 길쌈도 해주며 여염집 일도 도와주며 살아가는 처지라 아이들은 어리고 궁색하여 큰딸 연이는 14세, 어린 나이로 여주이씨 종부로 시집을 보내고 둘째딸 순이와, 큰아들 태경이, 작은아들 태상이, 모두 착하고 영리하여 어머니의 걱정은 가난하다는 것 밖에는 별다른 걱정은 없었다.

난향이 옥이를 데리고 권번에 도착하니 많은 식구들이 옥이를 보더니 어디에서 이런 보배를 찾아 데려왔냐며 귀엽고 예쁘다며 온 집안이 활기가 넘친다.

난향이 옥이가 열 살이 될 때까지 하루에 2시간 글을 읽히며 넓은 집안을 돌아다니며 놀게 간섭을 하지 않으며 그냥 놀게 두었다.

옥이는 집안을 돌아다니며 언니들의 흉내를 내며, 언니들에 흉을 보며 재롱을 떠는 모습은 집안을 활기를 불러들인다. 온 집안사람들의 사랑과 귀염을 받으며 집 안 밖을 어린 것 하나가 생기를 돌게 한다.

옥이가 나타나는 곳은 언제나 웃음꽃이 핀다.

식구들의 귀여움을 한 몸에 받으며 귀엽게 자란 옥이 이곳에 들어온 지도 어언 삼년이 지났다. 옥이 10살이 되자 난향이 옥이를 불러 앞에 앉으라며 단심이도 함께 부른다.

"옥아! 이제는 너의 토막 말버릇을 고쳐야겠다." 난향이 옥이의 맑은 눈을 들여다보며 옥이 머리 손질을 하며 순돌 어미를 부른다. 순돌 어미가 행주치마에 손을 문지르며 방문을 열고 들어온다.

"예 행수님 불렀습니까?"

"단심이 불러오게."

"예 알겠습니다." 순돌 어미가 나가자 단심이 득달같이 달려오며

"행수님. 저 왔습니다." 하며 방문을 열고 들어와 윗목에 앉는다. 행수는 옥이머리를 곱게 빗어 땋은 머리채에 홍 갑사댕기를 물려주며 단심이에게

"자네 오늘부터 옥이 토막말을 고쳐주고 이제는 공부도 가르쳐야지." 난향이 옥이를 바라보며,

"옥아 정신 바짝 차리고 배워야 한다." 난향이 단심을 돌아보며

"옥이의 말버릇을 고쳐주어야겠으니, 자네가 하나하나 가르치게." 하며 단심이에게 이른다.

"예. 그러지요." 대답하는 단심이도 옥이를 바라보며 웃고 있다.

"꾀를 부리거나 말썽을 피우거나 말을 듣지 않으면 호되게 야단치고, 매를 들어도 나는 관여를 않을 것이니 제대로 가르쳐야 하네." 하며 단심이에게 다짐을 한다.

단심이 옥이를 불러 손을 잡으며 한참 옥이 얼굴을 들여다 보다가

"내일부터 말 공부를 할 것이니, 내 방으로 오너라." 이르고 일러서 밖으로 나간다.

옥이 다음 날 아침 먹고, 단심의 방으로 가니 행수도 와서 기다리고 있다. 단심이 옥이를 향해 거기 앉거라 이러고는 옥이의 옷매무새를 찬찬히 살핀다.

"옥아! 오늘부터 내가 너의 선생님이다." 하며 옥이의 두 손을 잡으며 옥이의 얼굴을 살펴 보다 행수에게 눈길을 돌리며 고개를 한번 끄덕하더니 입을 연다.

"이제부터는 존댓말을 해야 한다. 시도 배우면서 창도 배우고 춤도 추며 가야금도 익혀야 하며 행동거지도 조신하게 하여야

한다."며 차근차근 타이른다.

"조금이라도 게으름을 피우거나 다른 행동을 하면 야단을 칠 것이며 매도 들것이다."라며 엄하게 타이른다. 난향이 아무소리 없이 밖으로 나간다.

저녁상을 물리고 난향이, 옥이를 앞에 앉으라며 옥이의 손을 잡으며 말없이 바라보더니

"옥아! 오늘부터 나를 행수님이라 부르지 말고 어머니라고 불러라." 옥이 눈을 치뜨며

"그러면 고곡동 우리 엄마는?"하며 난향을 쳐다본다.

"그래 고곡동 엄마도 어머니라 부른다. 옥이는 오늘부터 어머니가 둘이다."

"나도 어머니고, 고곡동 엄마도 어머니다." 옥이는 말 없이 고개만 끄덕끄덕한다.

"이제부터는 어른에게는 깍듯이 인사를 하며 존댓말을 해야 한다."

그리하여 옥이는 열 살에 기생 {해어화} 수업이 시작된다. 워낙 총명하여 무엇이나 언니들 하는 대로 잘 따라 한다.

어린 나이에 가끔가다 어머니가 보고 싶거나, 동기간이 그리우면 이불을 뒤집어쓰고 자는 척하는 것이 난향이 애연하여 살며시 옆에 누우면 눈물은 보이지 않으나 가슴속으로 파고든다.

창은 원래 타고난 소리꾼이다. 공부는 붓을 들고 쓰고 읽는 것 곁의 언니들 따라하며 열심히 시도 쓴다. 춤을 배울 때면 힘이 부치는지, 입술을 앙다물고 입술을 잘근잘근 물고 십는 것이 귀엽기도 하나 가엽기도 하다.

밤마다 난향이 일 끝나면, 옥이를 품고 누워 "열심히 배워 훌륭한 해어화가 되어 돈도 많이 벌어 고곡동 어머니 호강시켜드리고 동기간들 가난 면해 주어야지. 그리고 내가 더 나이 많아지면, 네가 행수를 맡아 해야지."하며 어르고 타이른다.

옥이의 글과 창이 나날이 빛을 보인다. 밤이면 한량들이 모여

들어 권번은 나날이 번창해진다. 세월은 무심히 흘러 옥이도 자라 이팔청춘, 꽃다운 나이가 된다.

난향이 이제는 옥이에게 기명을 지어주어야겠다고 생각하며 옥이를 불러 앞에 앉으라고 이르며 옥이의 저고리 고름을 다시 매어주며 난향이

"옥아 너도 이제는 옥이라는 이름을 그냥 계속 부를 수가 없지 않으냐. 기명을 지어야겠다."

난향이 옥이에게

"너의 기명은 네가 좋아하는 글자로 네가 한번 지어 보거라"

"싫어요. 어머니가 지어주세요. 어머니가 지어 주시는 것은 무엇이나 다 좋으니까요."

난향이 13살에 권번에 들어와 30여 년이란 세월이 지나고 보니 왠만한 일에는 남정네보다 강한 뚝심과 배포에 여장부다운 기질에 모두들 난향의 명을 잘 따라준다.

"황금물결 출렁이는 철에, 차가운 모진 풍상에도 의연하게 피어 향기 잃지 않는 국화꽃처럼 살아가는 국화의 국자를 따서 국향이 어떠냐?"

"끝 자는 나와 같은 향 자를 쓰고 어떠냐 괜찮지?" 옥이는 그저 담담하게 "저는 어머니가 지어주시면 무엇이나 다 좋으니까요? 어머니가 좋은 이름으로 결정하세요"

국향이 15살에 본격적인 해어화 수업에 들어가 교육을 받는다. 날이 갈수록 당찬 예능인으로 굳혀가는 모습은 감탄스럽다.

눈썰미가 있어 총명하여 하나를 가르치면 두 번 다시 실수를 하지 않아 천성으로 해어화 직을 타고 낫다며 칭찬들을 한다.

전국에 권번마다 특기가 있어 진주 권번은 칼춤이 유명하며, 평양 권번은 태평무가 유명하며, 서울 권번은 궁중무가 유명하다. 국향의 칼춤을 보는 사람으로 하여, 탄성과 칭찬이 자자하다. 칼을 진 손목이 어떻게 돌아가는지 모두가 놀란다.

세월 따라 국향이 인기는 나날이 더해지며 아름다운 용모는

뭇 사내들을 유혹한다.

　부잣집 도령님들 돈 많은 한량들 권력 있는 노인들까지 손을 내밀며 국향이 머리를 얹어 주겠다며 행수를 설득하려 든다.

　그러나 행수의 대답은 국향이 예인이지 노류장화가 아니라며 거절을 한다.

　난향이 권번에 들어와 단련된 뚝심과 앙칼진 성격이 원만한 강압에도 꼼짝않는 당차고 매서운 성깔이 녹녹하지 않는지라 서툴게 덤벼들지는 아니하겠지만 난향이 내심 속으로는 걱정이 앞선다. 세월은 쉬임없이 흘러 국향이 이십 고개를 넘어 여인의 육체는 만개한 꽃으로 향기를 품기고 있다. 제짝을 찾아 주어야 하는데 난향의 눈에 차는 신랑감이 없다. 돈이 있으면 나이가 많고 인물과 학식이 괜찮으면 가난하고 그러지 않으면 일인들에 앞에서 굽실거리는 위인들이라 난향이 근심이 떠나지 않는다. 하루는 생각 끝에 국향 이를 앞에 앉히고 넌지시 물어본다.

　"향아! 너 좋아하는 사람 있느냐?"

　"너 나이 벌써 스물하고도 중반에 들어선다. 기생 나이 서른이면, 눈먼 새도 안돌아본다고 하지 않느냐?

　"너도 알다시피 이제는 좋은 사람, 있으면 말해 보아라."

　"어머니 저는 시집 안가고, 평생 시 짓고 춤추며, 창 부르며 살래요. 남자 필요 없어요."

　난향이 놀란 표정으로 손사래를 친다.

　"저 지금이 제일 행복해요"

　"내가 너 평생 밥 먹여줄 것 같으냐 어림없는 소리."하며 나무란다. 말은 그러하였으나, 듣기 싫은 소리는 아니다. 난향이 국향을 정면으로 바라보며

　"향아 사천 강선주집 둘째 자제, 사람은 인품 학식 다 갖추었으나 정실부인이 있다."

　"그러나 네 생각은 어떠냐? 그만한 사람 없다."난향이 국향의 안색을 살피며, 조심스레 물어본다.

"너는 어떠냐? 어정어정하다 금방 수물 중반이다." 난향이 애가 타서 넌지시 다시 물어본다,

"내 눈에는 저만하면 됐다 싶은데 선주 집 둘째 아들 동경유학도 내년이면 졸업을 한다는구나. 졸업 하면 서울로 갈 것이고 너 생각은 어떠냐?"

"어머니! 저 시집 안가고, 어머니하고 여기서 그냥 살라요."

"아이구 큰일 날 소리, 내가 너 수발들며 살 것 같으냐? 어림도 없다." 말은 그리하였으나 난향이 은근히 바라고 있던 마음은 국향이 가까이 두고 싶은 마음에 재물은 없으나 사람만 착실하면 정실로 보내어 곁에 두고 챙겨주며 함께 여생을 보내고 싶은 욕심이다

기생에게 정실이라니 욕심이 과한 것인가?

"어머니 내 마음 결심했어요."

"내가 좋아하는 시 쓰고, 창 부르고 가야금 타고 춤추며 살다가 날 찾는 사람 없으면, 그때 시집을 가든지 고향으로 가든지 내가 정할 터이니, 걱정하시지 말고 주무세요" 하며 일어서 인사를 하고 국향이 방을 나간다. 난향이 느닷없이 순돌 어미를 찾는다.

"순돌 어멈 나 좀 보자 " 난향이 순돌 어멈을 부른다.

"예. 부르시었습니까?" 순돌 어미가 방문을 열고 들어 온다.

"거기 앉게. 자네 사천 선주 둘째 서방님! 정실부인 성품이 어떤지 좀 알아보고 오게."

"행수님 국향이 땜에 알아보라 하시면, 저 절대 안 갑니다." 순돌 어미가 완강히 말을 잘라 난향에게 설득하려든다.

"행수님! 국향이를 그리도 모르십니까?"

"그래도 그 사람만 한 사람이 없지 않느냐?"

"그야 사람은 탐이 나지만, 국향이 생각이 어떠할지?"

"인물이며 성품이며 학식이며, 어디 그만한 사람 있느냐"?

"사람이야 훌륭하고 한가지 나무랄 데 없지요?"

"기생이 소실이 아니고, 정실로 갈 수 있을 것 같으냐?"

"그거야 그렇지만..." 순돌 어미가 수긍은 한다.

"어제저녁에도 놀다 갔다면서?" 난향이 물어본다.

"예."

"별다른 눈치는 없고?"

"서로 술잔 몇 번 오갔으며, 그냥 국향이 가야금 뜯는 소리에 흥을 거리며 앉았다 갔어요."

"이번에 일본 가면 언제 온다더냐?"

"내년에 학교 졸업하고 시험 붙으면, 서울로 가족 데리고 살림난다고 카던데요."

"국향이 따라갈 눈치더냐?."

"행수님 국향이를 그렇게 모르시오?" 침모는 난향에게 핀잔을 준다.

진주에는 예부터 한량들이 많아 권번에는 언제나 흥청만청 번창하였다. 내놓아라는 한량들은 난향에게 국향이 얼굴 한번 보여 달라며 추파를 넣어나 난향이는 못 들은 체 넘어 간다.

강재윤은 마지막 학기에 일본으로 떠나기 전에 나타나 국향에게 기다려 줄 것을 다짐하며 떠났다.

가야금과 시조에 묻혀 사는 동안 계절은 쉬임 없이 흘러 1년이 지나 강재윤이 귀국하여 집안의 부모들은 서울로 신접살림을 내려고 서둘고 있다는 소문은 매일 권번으로 날아든다. 난향은 애가 탄다. 아무리 찾아보아도 강재윤만한 사람 없을 것 같아 국향이 설득을 하며, 닥달을 하여 보아도 요지부동이다. 나 한 몸 행복하자고 한 여인의 가슴에 상처를 줄 수없는 일이라며 고집한다.

"나는 누구에게나 정을 주지 않고 살기를 이미 오래전에 굳혔으니 나를 달랠 생각은 마셔요." 하며 국향이 일어 서 밖으로 나간다.

한창 꽃다운 나이에 여자로서 만개한 아름다움에 풍만한 육체

는 뭇 사내들에 욕심을 내게 한다. 침모가 밖에 나갔다 들어오며,

"행수님요! 행수님요!" 부르며 들어온다.

"왠 소란이냐? 수선스럽게?" 난향이 침모를 나무란다.

"오늘 강선주댁 둘째 서방님! 서울로 살림난다며 길 떠났답니다."

"그래 그럼 안 보면 정은 멀리, 가는 것이고 잘되었다." 난향이 긴 한숨을 쉰다.

"그런데 국향이는 어디 가서 뭐하고 있느냐?"

"아침부터 검무를 치고 있습니다."

"가만 놔두어라. 그 속인들 좋을리야 있겠느냐?"

"예!"

그로부터 한 서너 달 권번에는 아무런 일 없던 듯이 조용히 손님들도 다녀가고 제 할일들을 하며 국향이 매일 시와 가야금에 묻어 사는 동안 국향이 고향에 어머니가 병환 중에 막내딸 얼굴 보기를 원한다는 연락을 받고 국향이 고향 집에 어머니를 뵈러 길을 떠났다.

모두 들 자기 할 일에 열중하는가 싶더니 강재윤이 나타나 모두 들 깜짝 놀란다.

난향이 버선발로 뛰어나가며.

"그 먼 한양 천리 길을 어이 또 오셨읍니까? 집에 안방 아씨 생각도 하셔야지요, 우리 국향 이를 천하에 몹쓸 사람으로 만들어야 되겠읍니까?" 하며 나무란다.

"나인들 어찌 그걸 몰라서 이러겠는가? 여기에 머물고 있을 적에는 못 견디게 그립지 않았으나 멀리 떠나있으니 보고 싶어 못 견디겠는걸." 난향이 "그래도 참으셔야지요."

"오죽하면 내가 내려왔겠나?"

"국향이 그저께 어머니가 위중하여 본가에 가서 어찌 되었는지 모르고 쉽게 오지 못할 겁니다."

"나도 꼼짝을 않고 여기 있을 터이니, 사천 우리 집 식구들에게 나 여기 있다는 말 새어 나지 않게 입단속 단단히 시켜주게." 한편 국향은 어머니를 그리며, 어릴 적에 행수 따라 고향 길 떠나올 적에는 따뜻한 햇살에 봄꽃이 지리제 산마루를 붉게 물들이 드니 오늘 어머니 뵈러 가는 길은 단풍이 오색 빛 곱게 물들어 붉게 산 능선을 타고 내려와 가끔 을씨년스런 바람이 심술을 부린다. 지리제 고개 마루까지 장조카가 마중을 나와 있다.

"막내 고모님 제 넘어오기 힘드니 가서 도와주라는 할머니의 성화에 여기까지 왔습니다."

국향이 인사하는 장조카의 손을 덥석 잡으며

"그동안 못 만난 사이 듬직한 장정이 다 되었네. 여기까지 마중 와주어서 고맙다."

국향이 조카를 대하니 만감이 교차한다. 세 사람이 들고 지고 오던 짐을 네 사람이 나누어 가지니 한결 걸음이 빨라진다. 고향에 돌아온 옥이는 고향 동네가 낯설다. 산천은 고향 산천이건만 동네가 많이 변했다. 집 앞 개울도 다리가 놓여있으며 마을이 제법 큰 마을이 되어있다.

조카가 마중을 나오지 아니하였으면 집 찾기가 어려웠을 것이다.

옛날 살던 마을 집이 중앙에 있어 고샅길에 들어서며 계속 사방을 둘러보며 세월의 무상함을 느끼며 눈물이 앞선다. 삽짝에 들어서며 옥이

"어머니" 부르며 안방으로 뛰어 들어간다. 어머니의 눈가에 이슬이 맺혀 있다.

어머니는 옥이를 껴안으며, 꿈인 양 멍하니 딸을 바라보다. 얼굴을 감싸 안으며 입을 여신다.

"우리 예쁜 딸이 왔구나. 우리 옥이가 왔구나. 너를 못보고 가면 어쩌나 어미는 무서웠다."

"어머니 저도 어머니가 얼마나 보고 싶었다고..."

"이제 나는 원 없다 오래 살아 우리 막내 옥이 덕에 호강하며 살았다."

"너의 아버지 나라 찾겠다고 나가 저세상 가고 나서, 아비 없이 유복녀로 태어난 예쁜 우리 막내딸 팔아 이 어미! 호의호식하고 살았으니 너의 아버지를 내 어이 마주하며 무슨 말로 내 죄를 빌어야 하느냐?" 하며 딸을 앉고 우시니 온 식구가 울고 집안이 눈물바다가 된다.

오매불망 막내딸 옥이의 얼굴 보기를 그리다 곁에 두고 얼굴을 만지며 쓰다듬어 보다 안아도 보며 볼을 비비도 보며 하시드니 한을 푸셨는지 삼일 후에 식구들이 아침상을 물린 후 옥이의 손을 잡고 조용히 자는 듯이 세상을 하직하셨다.

장래 삼우제 다 치르고, 이십 여일 만에 권번으로 돌아가는 길이 외롭고 쓸쓸하여진다.

권번으로 돌아온 국향이는 집안을 한번 둘러보며 난향의 방으로 들어간다.

국향이 난향이에게 인사를 하고 자기 방으로 가 일찍 잠자리에 들었다. 며칠 누웠다가 일상생활로 돌아간다.

강재윤이 나타나 조문도 가지 못해서 미안하다며, 개면쩍은 인사를 한다.

재윤이 국향이에게 호국사에 어머니의 명복도 빌겸 산책을 하자며 밖으로 데리고 나간다. 호국사에 다녀온 이후로, 두 사람 사이가 가까워지는 듯 눈에 띄게 자주 만나더니 재윤이 서울에 간 사이 진주경찰서 다나까 형사가 권번에 들어서며 "국향이! 들이라." 이르고 방으로 들어간다. 난향이가 나서며 국향이 어머니 장래 치르고 와서 몸살이 나 누웠으니 오늘은 아니 되겠다며 다른 사람으로 대신 들이겠다고 하니 화를 내며 소리를 지른다.

"이것들이 사람을 가지고 노는 것이냐? 누구를 바보로 아나?"하며 소리친다. 난향이 곱게 타이르며 아픈 사람을 술 시중들게 할 수는 없다며 물러서지 않는다. 난향이 다른 사람으로 대신 들였드니 한바탕 난리를 치르고 요란스러워진다. 주위에서 권번이 앞으로 힘들게 어려워질 조짐이 보인다며 술렁거린다. 국향이 자기로 인해 권번이 어려워지는 것을 원치 않은다며 정면으로 나서려고 이를 갈며 스스로 다짐한다.

'술 시중은 어쩔 수 없이 하겠으나, 내 몸은 내 스스로 지킬 것이니, 어디 두고 보자. 누가 이기나?' 마음을 다지며 '내 죽었으면 죽었지? 너 놈에게 몸을 더럽히지 않을 것이다.' 다짐을 한다.

"어머니. 제 일은 제가 알아서 할 터이니, 어머니는 걱정마시고 물러나 계세요,"

"향아! 너는 함부로 나서지 말아라, 그래도 너보다 내가 어른이다." 하며 나무란다.

"어머니가 다치시면, 제가 불효를 하니 어머니는 일체 간섭마시고 물러나 계세요." 국향이 모든 것을 체념하며, 스스로 마음의 결심을 한다.

국향이 어머니 돌아가시기 전에는, 권번 안에서만 생활을 하였으나 어머니 돌아가신 후로는 재윤이 와 둘이서 외출을 종종하였다. 국향이와 재윤이 남강에 배 놀이를 다녀오며 의암 사당 앞에서 다나까와 마주친다.

두 사람은 옆으로 비껴가려 하나, 다나까는 앞을 막으며 재윤에게 시비를 건다.

"남의 계집 가만히 놓아두고 서울의 네 마누라에게 가서 추근될 것이지? 왜 여기에서 볼쌍사납게 우쭐거리며 다니느냐?" 하며 앞을 막으며 조롱을 하려던다.

"아직 매운맛을 못 본 것이여." 국향이 재윤에게 눈치를 주며 말없이 그 자리를 피하였다. 국향이 가슴을 쓸어내리며 재윤에게 만나지 말자며 이 길로 바로 서울로 가라며 애원을 하며 재

윤을 서울로 보내려 마음을 다짐한다. 국향이 권번으로 돌아와 난향에게

"어머니 제가 권번에 있으면, 남에게 죄를 짓게 될것 같으니 내 처신을 어쩌면 좋아요?"

"왜 그러느냐? 갑자기, 무슨 일이 있었느냐?"

국향이 집으로 달려와 난향에게 방금 전 이야기를 난향에게 들려주며 재윤이 걱정을 한다. 다나까와 재윤이 마주치며 그놈이 비수를 꽂은 악담을 하더라고 일러주며 제윤이를 권번에 들이지 말며 서울로 보내라고 부탁을 한다.

난향이 국향의에 말을 듣고, 재윤에게 글 몇 자 적어 지체하지 말고 서울로 가되 진주에는 절대 오지 말라는 쪽지를 적어 급히 전하라며 윤 상호를 재윤에게 보낸다.

국향이 모든 것을 체념하고, 스스로 운명을 받아들이려 생각하며, 서둘지 아니하고 차분히 소신대로 행동할려고 스스로 마음다짐을 하며 독살스럽게 국향이 변해가며 누구에게나 앙탈을 부리며 독기를 품는다.

아버지가 왜놈에게 사살되었으니, 원수 놈들에게 수청들 생각 추호도 없다며 완강히 거부한다.

다나까 밑에서 일하는 김영하는 국향에게 온갖 감언이설로 다나까를 모시라고 협밖이다.

영하의 말에는 다나까를 받아들이지 않으면 권번도 무사하지 않을 것이며 국향이의 신변도 위험하다며 위협을 한다.

국향이 피한다고 피할 수 없는 일이라 손님 접대로 술자리에는 나가는 일 끝나면 제방으로 돌아오니, 매일 권번이 소란스럽다. 매일 다나까와 입씨름을 하여야 했다.

여자의 나이 26세! 성숙할데로 성숙한 아름다움이 향기를 더해 준 여인의 육체는 누구나 안고 싶은 욕심을 가지게 한다. 국향이 이제는 세상 돌아가는 이치도, 어렴풋이 좀 알 것도 같은 나이다. 국향이 거절하면 할수록 다나까는 더 열을 올린다.

두 사람에 입씨름에 소리가 나날이 높아진다. 국향이 완강한 완력에 저항하다 국향이 다나까에게 '나는 대한에 기생이다. 대한에 기생의 자존심을 보여 주마.' 마음을 다짐하며 결심을 굳혀 스스로 죽음을 택한다.

평소보다 조금 늦은 시간에 술에 취한 다나까는 국향이를 부르며 들어와 국향이를 껴안을려고 하는 찰나 국향이 몸을 피하며

"나는 일편단심 대한의 기생이다. 왜년들의 게이샤가 아니다." 소리치며 다나까의 얼굴에다 침을 뱉으며

"감히 누구의 몸에 손을 대느냐? 나는 대한의 기생이다." 국향에 앙칼진 소리가 높아져 식구들은 문 앞으로 모여든다. 극도로 화가 난 다나까는 이성을 잃고 국향을 향해 군도를 겨누며 소리친다.

"너 죽고 싶은 것이로구나." 하며 다나까가 군도로 국향을 겨누는 순간 눈 감짝할 사이에

"나는 일편단심 대한의 기생이다." 소리치며 군도 칼날을 두 손으로 움켜쥐며 칼끝에 가슴을 던져 스스로 살해를 당하였다.

국향의 비명소리에 주위에 있든 사람들이 방문 앞으로 모여들며 서로 들어가 보라며 밀치며 야단을 치는 와중에 다나까가 군도를 들고 방문을 열고 나온다.

국향이 방바닥에 쓰러져 있으며 방바닥에는 선혈이 낭자하다. 국향의 시신은 가슴과 양손바닥에서 흘러나온 선혈로 방바닥이 흠건하였다. 난향이 방으로 뛰어 들어가 국향을 끓어 앉으며 대성통곡을 하며 몸부림치다 실신한다.

단심이 물 사발을 들고 들어와 난향에 얼굴에 품으며 의원을 불러오라며 소리친다.

난향이 침을 맞고 찬물 덮어쓰고 정신을 차려 국향이를 끌어 안으며 대성통곡을 한다.

"내가 죄인이다. 내가 죄인이다. 국향이는 내가 죽였다."

"내가 데려와서 이런 사단이 났다."

난향이 땅을 치며 대성통곡을 하며 울다 정신을 잃고 또 쓰러진다. 난향이 먼동이 틀 무렵 정신을 차리고 일어나 조용히 장례 준비를 하며 행수자리를 단심이에게 물려주려 한다. 나날이 번성하던 진주권번이 비운에 문을 닫을 수 없어, 난향이 단심을 불러 푸념 겸 입을 연다.

"내가 데려오지 않았다면 옥이의 삶은 조금 궁색하여도 아들 딸 낳고 오붓하게 잘살고 있을 것인데 내가 들어 비명에 가게 했으니 내가 죄인이다."

난향이 단심을 불러 앞에 앉으라며, 권번 문서와 장부를 정리하여 단심이 앞으로 내밀며

"내 너를 믿어 권번을 물려 줄 것이니 책임지고 열심히 해 보아라."

"행수님! 무슨 말씀이요?" 단심이 놀라며

"무슨 생각으로 그런 말씀이요?" 단심이 걱정스러운 눈으로 행수 얼굴을 살핀다. 난향이 조용히 단심을 타이른다.

"내가 국향이 비명에 보낸 죄인 아니가? 비명에 간 불쌍한 우리 국향이! 명복은 빌어 주어야지"

"여기서도 그렇게 하면 됩니다." 단심이 한사코 거절하며, 받아들이지 않으려 한다.

"우리 국향이 꽃 같은 나이에 원수 놈 손에 비명에 갔으니 너는 불쌍하지도 않느냐?"

"행수님 진정하시고, 생각을 다시 해봅시다. 여러 사람이 모여서 의논도 해보고 여러 사람의 의견도 좀 들어 보고, 천천히 생각해 봅시다."

"제발 내 말대로 따라 다오, 권번은 나보다 네가 더 잘 하리라 나는 믿는다." 단심이 아무리 말해도 변하지 않을 것 같아 결심하면서

"열심히 해보겠습니다만 생각대로 잘 할 수가 있을지 모르겠습니다. 열심히 해 보겠습니다." 하며 승낙을 한다.

"행수님 그럼 자리 잡히면 나한테만이라도 꼭 연락주셔야 합니다."

"그럼 그래야지. 고맙다. 이제 모든 근심 다 잊고, 나는 떠날 것이다."

"그래 지금까지도 네가 많은 일을 하지 않았나? 나는 이제 나이도 많아 국향이하고 작은 암자에 가서 오붓하게 지내야겠다."

"옥이 동기간 중에 누가 찾아오거든 내가 자리 잡히는 대로 연락한다고 하여라."

한마디 남기고 국향의 시신을 수습하여, 장례를 치르고 이른 새벽에 아무도 몰래 지리산 작은 암자를 찾아 스스로 머리카락을 자르고, 국향의 명복을 빌기 위해 유골함을 안고 어둠이 묻힌 골목에 난향이 새벽이슬을 맞으며 사라진다.

5장 인연

1 건강식 애호가

내 건강이 많이 회복된 듯하여 다시 일을 하여야겠기에 알아보던 중에 서울에 사는 봉천동 동생에게 전화가 왔다.

"언니 모레 안서방 칠순이니 꼭 와, 기다리고 있다는 것 알지?"하며 전화기를 끊어버린다.

당일 아침 새벽 일찍 서둘러 6시 첫 열차에 몸을 실어 서울에 도착하여 개찰구로 나오니 "엄마!"하며 부르는 소리에 돌아보니 딸아이가 마중을 나와 있다.

딸아이와 함께 행사장에 가서 놀다 딸만 먼저 집으로 보내며 가락시장에 들렀다. 열무 두 단 사다 물김치 담가 놓고 하루 쉬었다 오려고 봉천동에서 다음 날 늦은 오후에 일어서 나섰다.

가락시장역에서 내려 시장에 들러 채소를 사 들고 현관문 비밀번호는 내가 아는지라 들어와 열무 씻어 간하여 놓고 밀 풀을 끓이는데 전화 벨이 울린다. 이 집에는 낮 시간에 전화 올 곳이 없는데 하며 수화기를 드니

"형님! 빨리 오셔야 되겠습니다."손아래 동서의 다급한 목소리다.

"왜 그러는데... "

"조카들에게 전화를 하니 둘 다 전화를 받지 않으니 아주버니께서 동생이 차 가지고 오라는 전화가 와서 소방서 구급차에 연락을 하여 아주버니 가톨릭 병원으로 가는 중입니다."

"아주버니께서 무엇을 드시었는지 숨넘어가는 소리로 빨리 차 가지고 오라 하여 구급차를 보내고 조카들에게는 가톨릭 병원으로 오라고 전화를 하였습니다."

큰 아들은 교직에 있어 수업 들어가면 전화를 받지 못하고, 작은 아들은 소방관이라 외근 나가면 전화 통화를 할 수가 없

다.

딸 아이에게 전화를 하여 풀물 식으면 간 맞추라 말하고 자세한 이야기는 도착하여 전화하겠다며 말하고 지하철역을 향해 가다 보니 울화가 치민다.

'어쩌면 단 한 순간도 사람을 편하게 두지를 못하는 것일까?'

서울역에 도착하며 차표를 사서 시간도 볼 사이 없이 열차를 타고 대구역에 도착하여 시계를 보니 밤 11시다. 공중전화에서 큰 아들에게 전화하니 방금 위 세척하고 병실로 옮겨 잠들었다고 한다. 아들은 내일 출근을 하여야 하니 아들을 집으로 보내려고 대구역에서 택시를 타고 병원으로 가니 아들이 병실 밖에서 기다리고 있다가 내가 도착하니 집으로 가서 자고 내일 아침에 오라는데 말을 듣지 않느냐며 나를 나무란다.

병실에서 자고 내일 학교로 바로 출근을 할 것이니 피곤해 보이니 집에 가서 쉬라며 택시를 잡기에 아들의 등을 떠밀어 보내고 원수 같은 영감 옆에서 밤을 지새우고 병원에서 어제 먹은 음식물을 가지고 오라고 하나 환자가 입을 열지를 않으니 알 수가 없다고 얼버무려 버렸다.

남의 말은 잘 들어 즉시 즉시 행동에 옮기나 식구들의 말은 묵살해 버리며 어깃장만 놓는 사람이다.

자기 스스로 진단하고 조제하고 처방하여 신문광고에 좋은 건강식품 약국에서 추천하는 약은 가리지 않으며 즐겨 먹으니 어느 약에서 부작용이 생긴 것인지 알 수가 없다.

언제나 약은 혼자만 비밀리에 숨겨 두고 자물통을 채워두니 어디에서 누구에게 구입을 하였는지 본인 자신도 잘 모르고 약을 먹으며, 약을 사려면 병원에 가서 진찰하여 의사의 처방전을 받아 약을 사라고 하여도 듣지 않아 '소 귀에 경 읽기'이다.

다음날 늦은 오후에 별 이상이 없으니 퇴원을 하였다.

2 꽃상여

 텔레비전을 켜다 보니 화려하게 꽃 장식을 한 꽃상여가 등장한다. 오래전의 아버지의 환영을 본다. 40여 년 전에 돌아가신 아버지가 꽃상여 위에서 선소리를 하는 모습을 환영으로 그려보며 추억을 더듬어 아버지의 모습을 그려본다.

 술을 전연 못하시는 아버지께서는 남을 도와주는 것을 좋아하셨다. 길에서 헐벗거나 음식을 주워 먹는 아이를 보면 집으로 데리고 와서 나에게 밥이나 먹을 것을 주라고 하며 동생들 입던 헌 옷 가지 하나 입혀 보내라고 하신다. 그르면 나는 볼이 부어 고개를 흔들며 부동자세를 취한다. 아버지에게 대꾸를 할 수가 없다. 그래도 싫은 내색을 하지 않은 내 마음을 아시고 언제나 조용히

 "사람을 차별해서는 안 된다." 하며 내 어깨를 토닥거려 주신다.

 "배고픈 사람 밥 한 끼 나누어주는 인심은 있어야지" 하며 나를 재촉하신다. 그러면서 하는 말씀은

 "우리 식구 한술씩만 덜먹으면 된다."라는 말씀이 언제나 뒤따른다. 철없는 나는 그 소리가 너무 듣기가 싫었다.

 그 무렵 우리 집도 넉넉한 편은 아니었으나. 고향의 친인척이 많아 대구에 드나드는 친척들이 오며 가며 우리 집에서 자고 가니 끼니때마다 객식구가 한둘은 끼여 밥 식구는 언제나 열 명이 넘었다. 당시에는 차편이 어렵고 없는 사람은 도보로 다니는 분도 많았다.

 이러한 환경에도 싫은 내색하지 않는 큰딸에게 미안하여 하는 말씀은

 "사람 사는 집에 사람 발길이 끊어지면 그 집 살림이 간다고 했다." 하시며 내 등을 토닥거려주신다.

 주위에 가난하고 외로운 집에 초상이 나면 상가에 염습을 해

주며 절차와 범절을 도와주신다.

그러니 자연히 사람을 구하지 못한 집에서는 도와 달라며 찾아온다.

나는 그것이 싫어 중간에서 사람들을 돌려보내려고 애쓰며 언제나 아버지에게 투덜거린다.

아버지가 외출 중에 찾아오는 손님 중에 상가에서 찾아오면 행선지를 알려주지 않으며 아버지가 돌아오셔도 입을 다물고 알리지 않을 때도 있었다.

그만큼 상갓집에 가서 염습해 주는 것이 싫어 못 가게 매달려 앞을 막아서기도 했다. 어린 마음에 귀신이 아버지를 해코지할 것 같아서이다. 누구보다 아버지를 존경하며 자랑스러운 나의 아버지가 다치는 것이 싫어서이다.

한번은 상가에 염습 청을 받고 가시는데 그날따라 새로 만든 삼베 잠방이를 입고 가셔서 무릎 위에 콩알만 한 구멍과 구술만 한 구멍 두 개가 있어 아무리 보아도 담뱃불 구멍은 아니다.

어머니에게 물어본 나는 기절을 할 뻔했다. 어머니 말씀은 시체에서 피물이 흘러나와 옷에 묻으면 옷이 해어진다고 한다.

지금은 시체를 냉동실에 넣어 관리하니 물이 나지 않으나 옛날에는 장례식까지 방에다 보관하니 시체에서 핏물이 나오는 예가 많았다고 한다. 그래서 시체가 질다. 깨끗하다. 또 어떤 시체는 생전에 입던 옷을 다 적시는 경우도 있다고도 한다.

그 이후로는 기를 쓰고 못 가게 앞을 막으니 아버지 말씀은 내 아무 탈 없이 다녀와서 저녁 먹고 이야기하자며 저녁 준비해 놓으라며 나가신다. 상갓집에 가셔도 언제나 맨입으로 오신다. 원래 술을 못하니 없는 집의 초상에는 술밖에 없으니 술은 입에 되지 않으며 불쌍한 집에 밥 한 끼 축내서야 안되지 하며 집에 와서 저녁을 드신다.

어머니도 나와 마찬가지로 친인척 집 외에 가는 것을 어머니도 말씀은 않으시나 싫어하는 눈치다. 서로 인사 정도 하는 처지에 내 집일 미루어두고, 남에 상갓집에 가서 도움 주는 것을 별로 반기지 않는 것 같았다. 어린 마음에 나는 귀신이 있다고 생각하여 항상 상갓집에는 못 가시게 말리며 투덜거렸다.

한 번은 상가 집에 다녀오신 아버지가 볼 부은 나를 보시더니 저녁 설거지가 끝나자, 아버지가 어머니와 나를 사랑으로 부르신다. 동생들은 모두 잠들고 아버지의 말씀은

"내가 상가 집에 도와주는 것이, 나쁜 짓이 아니기에 도와주는 것이다."

"세상에 귀신이 어디에 있나? 귀신이 있으면 자기를 도와주었는데, 왜 해치겠느냐?" 돈 많고 친척들 많은 사람들은 돈 주고 사람 사서 장래 취루면 되지만 돈도 없고 외로운 사람은 그렇다고 시체를 방에 둘 수가 없지 않으냐?"

"누구든지 도와주어야지, 죽은 사람도 자기를 눈 감기고 목욕시켜 새 옷 갈아 입혀주는 고마운 사람에게 은혜는 못 갚을지는 정 왜 해치겠나?" 하며 손을 보여주며,

"우리 집안 사람들 불쌍한 사람들을 이 손으로 염습하여 보내주었으나, 아무런 탈 없지 않으냐? 세상에 귀신은 없다." 하시며.

"영~ 없지는 않지! 딱 한 곳에 있다." 하시며 내 얼굴을 찬찬히 들여다보며 웃어시더니

무당들 울긋불긋 꽃 오려 걸어 놓은 곳에 떡 층층 고여 놓고, 고기 차려 놓으며 징 매구 치며 둥둥거리며 춤추는 곳에는 "귀신이 아! 저기 먹을 것이 많이 있겠구나. 하며 거기에는 귀신이 찾아온단다." 하며 허허하시고 한바탕 웃으신다.

상여 위에 올라 선소리를 잘하며, 모심기 논매기할 때도 앞소리를 잘 부러 시어 찾아오는 사람이 많았다.

오늘 TV 채널을 돌리다 꽃상여를 보면서 옛날 아버지의 봉사정신을 조금이나마 깨달음을 알게 되었다. 그 시절에 봉사라는 것을 나는 전혀 깨닫지를 못했다. 아버지는 남들이 무어라 흉을

보아도 옆에서 듣게 되었는데 내가 아버지의 딸인지 모르고 하는 말이 "할 일이 없으면, 집에 가서 낮잠이나 자지, 집안일 제쳐 두고 남에 초상집에 일 보아주는 바보."를 하는 소리를 듣고는 누가 지나가며 아버지를 흉을 보더라고 일렀더니 아버지의 말씀은,

"남자 못난이 말 들어 무엇 해," 하며 말을 끊으신다.

남에게 신세 지기 싫어하며, 근면하고 후덕하신 인품에 내 친구들도 아버지를 인자하시고 이해심 많은 아버지라고 부러워들 하였다.

아버지 72세에 돌아가시어 내 나이 아버지 나이보다 10년을 더 살고야 이제 아버지의 봉사정신을 깨닫게 되었다.

아둔한 딸은 이제야 봉사라는 것이, 얼마나 훌륭한 일인지 이제야 조금 알게 되었습니다.

"아버지의 큰딸! 이제야 철이 드나 봅니다. 철없든 여식을 용서하소서 아버지!"

3 나의 연병장

　자고 일어나 아침상을 들이니 밥을 먹기 싫다며 죽을 끓여달라는 것을 귓전으로 들으면서

　"뭇국에 말아서 한술 뜨면 점심시간에 와서 죽을 끓여주겠다."하며 밥상을 방에 들여놓으며 아파트 청소를 하러 가버렸다. 11시경에 청소 반장이 나에게 집에 영감님이 아파 못 견디겠으니 집에 빨리 보내달라며 전화가 두세 번 오니 빨리 집에 가보라며 전해준다. 현관문을 들어서니 "왜 이제 오느냐?"라며 소리를 높인다. 나 역시 녹녹하지 않다.

　"장국에 밥 말아 한술 뜨면 속이 편할 것인데 그놈의 담배만 물고 있으니 아프겠지? 누구를 원망해. 아무리 옹고집이라도 남의 말도 조금은 들어주어야 할 줄 알아야지."하며 나는 상대편의 말을 묵살해 버렸다.

　하루에 2갑에 줄담배를 피우면서도 새벽 3시나 4시경에 담배 심부름을 시킨다. 담배가 없으면 사람을 성가시게 잠을 못 자게 한다. 10여 년을 각 방 쓰고 있으나 나에게 천식이란 병이 오기 시작한다.

　처음에는 담이(가래) 하얀 담이 생기더니 날이 갈수록 누런색으로 짓게 변한 담으로 변하더니 목에서 언제나 쉼 없이 가랑가랑 소리가 나며 숨 시기가 순조롭지를 못해 곁에 사람이 목에서 나는 소리를 들릴 정도로 심했으며 화장지를 호주머니에 넣어 다니며 수시로 기침하며 담을 뱉어내야만 하였다.

　담배를 줄담배를 피우니 새 아파트 하얀 벽지가 6·7년이 되니 황토색 벽지로 변해 버렸다. 성주에서 한약국을 하시는 시 이모부에게 전화하여 내 병세에 대해 대충 이야기하였더니

　"이질이 줄담배를 피우니 혹시 천식이면 아침저녁 소나무 우거진 숲속에서 들숨과 날숨을 쉬며 몸을 많이 움직이며 자네 허리 아픈 것도 소나무에 등치기도 하며 마사지하면 완치는 아니

지만 통증은 조금 가실 것이니 열심히 노력하여 보게. 시간이 오래 걸리겠지만 성급하게 생각하지 말고 마음 편하게 생각하고 속는 셈 치고 한번 해 보게. 장기간 오랜 시간이 걸릴 것이네. 차비 아끼지 말고."

이모부께서는 아직도 우리가 대신동에 살고 있는 거로 알고 계시었다. 30여 년을 살았으니까.

"이모부님! 저희들 월배 도원동으로 이사를 오고 보니 단양 우씨들 세종산이 옆에 있으며 제실도 있고 이조에 벼슬한 비석들이 많으며 일제 때에 송진 공출인지, 백성들의 식용으로 인지, 나무마다 상처가 아물지 않고 서 있는 아름드리 소나무 동산이 주위에 여러 곳에 있어 산책 다니고 있습니다."

"그래 아주 잘 되었구나, 그곳에 안쪽으로 들어가면 대곡 동네가 있지. 이조에 인물들이 많이 배출된 마을이지."

"조급하게 생각하지 말고 열심히 노력하여 보게. 자네 허리는 현대 의학 수술이 효험이 빠르겠지만 완전히 믿을 수 없으며, 천식은 약보다 소나무 맑은 공기가 나을 것이니 열심히 노력하여 보게."

다행인 것은 내가 소나무에 효험을 볼 운명인지 1996년 여름에 달서구 도원동 신축 아파트 임대 아파트로 이사를 와 있었다.

이모부께서 일러주시는 대로 열심히 시간만 주어지면 소나무 숲에 다니며 노력하다 보니 1년에 2·3번 심한 몸살을 앓고 나면 몸이 조금 가벼워지는 것을 스스로 느낄 수가 있었다.

나 자신도 모르는 사이에 3·4년 시간이 흘러 지나 손녀 보미가 집에 심부름을 오더니 손뼉을 치며 "우리 할머니가 허리를 꼿꼿이 펴고 서신다." 하며 좋아들 하기에 가만히 생각해 보니 어느 시기에 기침 과담이 없이 천식이 사라졌는지 알 수 없으며 허리 통증도 많이 호전되어 있었다.

병원 걸음 약 한 봉지 먹지 않고 몸이 호전됨을 느끼니 시간만 주어지면 소나무 숲에 2·3시간 다녀온다. 그리 다니는 것이 허리 통증도 견딜만하고 몸이 가벼워진 것 같은 느낌이 든다.

서울의 딸아이가 일산 신도시에서 살다가 송파 가락동으로 이사를 하였다면서 한번 다녀가라며 전화가 와 딸아이 집에 왔다가 저녁을 먹고 난 후 연속극을 보는데 사위가

"장모님 목에서 담 끓는 소리가 들리지 않으며 가래를 뱉는 모습이 안 보이네요?"

"글쎄. 자네 말을 듣고 보니 그런 것 같네! 나도 여태 모르고 있었네."

허리는 약간 굽어서나 몸이 한결 가벼우며 통증이 무거운 것을 들지 않으면 통증을 느끼지를 않으며 나 스스로 건강을 되찾은 것을 느낄 수가 있었다. 30여 년을 아이들과 먹고살기 위해 남자들도 하기 힘든 노동일을 하였으니 등이 많이 굽어 있었다.

나는 여기에 소나무를 의사와 약사로 생각하며 치료도 받으며 소나무와 대화도 하며 '나의 연병장'이라 이름 지어 여기서 산책을 즐기며 시간만 주어지면 여기를 찾아온다. 소나무들도 일제 강정 기에 아픈 상처도 다 아물어 높고 푸른 기상을 자랑하며 장대하게 서 있는, '나의 연병장'이라 이름하여 찾아와 건강을 챙기는 곳이다.

4 남편의 위장병

우리 집 한실들마을 아파트 도로 건너 나래 마을 아파트에 오전 청소를 마치고 집에 와서 이불 빨래를 세탁기에 넣고 점심을 먹고 있으니 전화벨이 울린다. 수화기에서

"나! 지금 세광병원에 와있으니 의료보권증 가지고 병원으로 빨리 와라." 하며 소리를 지른다. 점심시간에는 집에서 내가 점심을 먹는 것을 알고 집으로 전화를 한 것이다.

큰아들에게서 전화가 또 온다.

"아버지 어디가 아파서? 세광병원에서 전화가 와 있는데?" 하며 묻는다.

"신경 안 써도 될 것 같으니 걱정하지 마라. 올 필요도 없다. 내가 전화할 때까지 오지 말고 기다려라. 내가 오후 일 끝내고 퇴근길에 병원에 들려서 보고 전화를 할 것이니 기다려라."라고 일렀건만   신경이 쓰였든지 퇴근길에 큰아들이 병실에 들어온다.

세광병원에서는 위장병으로 진단이 났다. 위장병은 결혼 전부터 가지고 있던 병이다.

"오지 말라고 하였는데 왜 무엇하려 왔느냐?" 하며 나는 죄 없는 아들에게 역정을 낸다.

담당 의사 만나보고 이야기합시다. 하며 나가더니 잠시 후에 오더니

"내일 오전 중에 퇴원할 것이니 수속은 끝났으니 약만 받아 가지고 가면 되니 나는 집에 갈게요." 하며 아들은 집으로 떠났다. 아들의 뒷모습을 바라보니 울화통이 솟구친다.

식탐이 많아 조금 맛있는 것이 있으면 어린아이처럼 혼자 극성스럽게 먹고 나서 소화가 안된다며 소화제 타령이다. 사람을 성가시게 괴롭힌다.

30여 년을 속아 살아온 나인데 나 역시 이제는 녹녹하지 않다.

병원에서 하룻밤을 자고 직장의 반장에게 전화로 2시간의 지각을 양해를 구하고 병원에서 아침을 먹은 후 큰 애가 퇴원 수속처리 다하여 약만 받아 가면 된다고 하니,

　"일어나 옷 입으라." 고 하니 영양주사 한 대 더 맞고 가자며 일어나지 않아 "나도 모르겠다. 나는 가니 알아서 하라."며 처방약을 받아 혼자 병원을 나와 출근을 하였다.

　병원에서 한바탕 언쟁을 하고 왔으니 심기가 불편한데 자정이 넘어 들어오며 다시 언쟁이 시작된다. 소화가 안된다 하여도 별로 신경쓰지 않았다. 언제나 입에 맞는 음식이 있으면 과식을 하니까.　　이제는 나도 속아 넘어가지 않는다. 아프다고 하든 말든 나에게는 관심 밖의 일이다.

　아파트 계약금 팔아 봉고차 사서 끌고 다니며 돈 번다는 사람이 자기가 번 돈은 어디에 쓰는지 소화가 안 된다고 하여도 약을 사다 주지 않는다고 시비를 걸어온다.

　나는 지금부터 묵비권 행사다.

5 사랑하는 큰 언니!

  팔 남매의 맏이로 팔십오 년을 살아온 큰언니의 등 굽은 모습이 그 오랜 세월만큼 힘들었던 흔적을 보여 주는 것 같아서 마음이 아픕니다.

  이번에 엄마 제사에 참석하면서 남아 있는 우리 육 남매 언니의 큰 힘이 아직도 엄마처럼 우리들 앞에 든든히 지키고 있어 우리들은 행복합니다.

  지난 세월 돌이켜 보면 언니의 순간순간마다 언니의 손길이 닿지 않은 곳이 없고 신경 써주지 않은 일들이 없는 수많은 일들, 맏이로서 동생들의 크고 작은 일들을 신경 써주어야 하는 언니의 넓은 마음은 아마도 마음속에 큰언니의 책임감이 아닌가 싶습니다.

  삼 남매 키우는 일도 힘들고 도움이 되지 않은 남편의 편협함까지 감당하면서 살아야 하는 큰언니의 삶이 얼마나 힘들고 고단한 삶이었는지 우리 형제들 잘 알고 있지만 제각기 삶의 처지가 다른 위치에서 아무런 도움도 되어 주지 못했으니 미안하고 죄스럽지만, 모든 역경을 참아 가면서 지금까지 굳건히 살아 주셔서 감사하는 마음 이렇게 편지로써 표현합니다.

  결혼하기 전에는 해방과 전쟁의 소용돌이 시절을 맏이라는 위치에서 부모님을 도와서 칠 남매나 되는 많은 동생들을 도와서 키워야 하는 책임을 다하기 위해 정작 당신이 하고 싶은 공부도 하지 못하고 꿈꾸고 싶은 문학의 꿈도 포기하고 살아야 하는 큰언니!

  편협한 남편 만나 말할 수 없는 고생을 하면서 그래도 삼 남매 장래를 걱정하며 오직 자신의 안위를 생각지 않고 죽을 고생을 하며 삼 남매 대학까지 공부를 시켜 훌륭하게 키워 훌륭한 짝들을 만나 다들 출가시켜 잘 살아가고 있는 모습을 보며, 삶에 도움 되지 못한 남편이 그래도 칠십여 년을 같이 살다 먼저 저세상으로 가신 것이 서운하기는 하지만, 이제는 남편의 부재가 오히려 편안한 시간이 되어 어릴 적 이루지 못한 문학의 꿈을 이룰 수 있어 지금은 일생에 가장 행복한 순간이라는 큰 언니의 모습이 좋습니다.

큰 언니의 굽어진 허리를 보면서 나 역시 한몫을 한 것 같아서 고개가 숙여지지만 시 부문 수필 부문에서 등단하여 상까지 타고 여러 권의 문학 시집과 수필집을 내어 여러 개의 상장과 트로피를 보니 너무 자랑스럽고 감사합니다.

큰언니 당신의 능력이 어디만큼 큰 것인지요?

태산과 넓은 바다에 비교할 수 있을까요? 팔순의 중반인 언니에게 무한한 능력이 존재한다는 것은 수많은 고난과 역경을 죽고 싶은 순간까지도 이겨내며 살아온 힘이겠지요.

큰언니 당신은 위대합니다!

지금은 과부가 된 우리 세 자매 황혼이라도 아주 산허리에 걸린 해처럼 저물어가는 황혼의 나이들이 되어 엄마의 제사에 참석하여, 지구 둘레를 한 바퀴 돌아 다시 소녀들이 되어 돌아온 마음으로 이렇게 함박웃음을 웃을 수 있는 것은 행복입니다.

오래 산다는 것은 이럴 때 좋은 것인가 봅니다. 지난 힘들었던 세월 다 잊어버리고 우리 자주 만나 즐겁게 하하하 웃으며 결혼하기 전 처녀 시절로 다시 돌아가 봅시다.

좋은 글 많이 쓰시고 더 많은 아름다운 글로써 꽃을 피워 좋은 책을 남겨 두면 당신의 문학 꿈을 이루시오.

오래오래 살아서 저번처럼 다시 만나 배꼽을 잡으면 웃을 수 있는 시간이 많이 있기를 기원하면서 ,... 큰 언니의 건강과 행운을 기원합니다. 사랑합니다!!!   막내 연자 드림

6 수필반

　할 일 없이 무료한 시간이 지루하여 달서구 도원 도서관을 드나들면서 책을 빌려 독서를 즐기다 염치없이 실례하는 셈 치고 도서관에 계시는 김창준 선생님에게 "글쓰기 공부를 하는 곳이 있으면 알려 주세요?" 하고 물어보았다.

　선생님께서는 한글이나 한문을 말하는 것인지 물어보신다. 얼떨결에 말은 뱉어 놓아서 나 무어라고 대답을 하여야 할지 몰라 소녀 시절 김소월 시집 진달래를 읽어 본 기억을 생각이 나 "시 쓰는 강의는 없나요? 있으면 알려 주세요." 하고 물으니, 시는 잘 모르겠고 수필은 성서 도서관에서 지금 강의를 하고 있다고 알려주신다. 나는 수필이 무엇인지도 모르고 처음 들어본 단어이다.

　"선생님 수필이 무엇인가요?" 하고 되물으니 글을 쓰고 읽고 한다기에 앞뒤 생각 없이 선생님에게　"성서 도서관 위치와 노선버스 번호를 알려 주세요?" 하였더니 김창준 선생님께서 달서구 도서관 전단지를 한 장 주시기에 전단지를 들고 물어물어 도서관을 찾아가서 등록하였다.

　문학소녀의 꿈을 황혼의 여유 있는 시간이 아까워 지금부터라도 해보려고 여기저기 기웃거리던 중이었다.

　초등학교 시절 가난한 집안의 팔 남매 맏이로 자라 등교 반 결석 반으로 은사님들의 은혜 입어 졸업은 하였으나 글쓰기는 작문이라고 몇 번 써보고 위문편지 몇 번 써 본 것이 전부였다.

　집에 와서 손녀에게 전단지를 보여주며 성서 도서관 위치와 노선버스 번호를 적어 달라고 하여 길을 찾아 나섰다.

　글은 쓰고 싶으나 어떻게 써야 하는지 모르는 나로서는 맹목적으로 수필 강의를 하는 곳이 있다기에 물어물어 찾아가 등록을 하였다.

　강의 날 며칠 앞두고 성서 도서관에서 전화가 왔다. 혹시 강좌 등록을 잘못하지 않았느냐며 묻는다.

내 대답은 잘못하지 않았다며 단호하게 대답을 하였다. 산수의 늙은이가 수필 반에 등록하였으니 의문스러웠을 것이다.

다음 날 또다시 성서 도서관에서 전화가 걸려 온다. 조금 창피하기도 하여 전화 통화를 끊으려다 오기로 "9월 5일 날 10시까지 지각 아니할 것이니 안심하세요." 하며 전화를 끊었다.

첫 강의 날 젊은이들 틈에 끼여 수강하다 보니 주눅이 든다.

나는 청각 장애가 있어 힘들겠다는 것을 알고서도 등록을 하였다. 다행히 프린트지에 내용을 인쇄해서 나누어 주어 강의를 하시니 도움이 되었다. 나는 청각 장애가 있다며 공개적으로 양해를 구했다. 나의 이야기를 들은 강사 선생님은 오히려 나를 격려해 주었다.

용기백배하여 열심히 다니려고 마음을 다지며 결석 없이 일주일에 한 번씩 1시간 반의 수업을 1년을 지각 한번 결석 없이 다녔다.

이제는 용기가 생긴다. 꼭 좋은 결과를 보고야 말겠다는 결심이다.

마음과는 달리 가끔 나이를 잊고 설치니 내 스스로 생각해도 가소로움이 느껴진다.

그러나 강사 선생님은 항상 용기를 주시며 격려를 해주신다. 선생님의 칭찬에 힘입어 좀 더 노력하며 여러 문인들의 시집과 수필집을 탐독하며 쓰고 또 쓰며 노력을 하는 중이다.

선생님의 강의 내용은 언제나 프린트를 하여 강의를 하시니 제대로 듣지 못한 부분은 집에 와서 다시 읽어 보면서 대충 그날의 강의 내용을 익힌다.

그렇게 한 주의 시간 반 수업도 일 년이란 세월이 흘러 이제는 글쓰기에 조금은 익숙하여진다.

선생님과 나와의 나이 차이는 20년의 차이다. 언제나 한결같이 격려와 칭찬을 아끼지 않으시는 덕에 일 년이란 세월이 흘러 무언가 나도 조금은 눈을 뜨는 것 같다.

시도 조금씩 끄적거려본다. 수필은 조금은 알 것 같으나 아직은 잘 표현이 되지 않는다. 열심히 노력하여 좋은 글 한 편 쓰게 된다면 김경숙 선생님의 은공이다.

날씨가 차가워지니 자식들의 걱정이 예사롭지 않다.

팔순이라는 나이에 젊은이들 틈에 끼여 배우겠다는 어미를 말릴 수도 없어 눈치만 보고 있는 자식들 걱정도 덜어줄 겸 겨울 삼동은 집에서 노력하며 지내다 해동하면 다시 배우기로 마음을 굳혔다.

마음은 다급하고 초조하나 수필이 무엇인지도 모르며 덤벼들어 시작은 하였으니 두려움은 앞서며 자식들 보기에 민망하여 그만두지도 못하여 새로운 결심을 하게 된다.

'이왕 시작한 일! 죽이 되던 밥이 되던 곁의 사람들 눈치 보지 말자.' 결심하며 도서관을 드나들며 독서를 즐기며 글쓰기 연습도 하며 노력하는 중이다.

누구보다 김경숙 선생님께 좋은 글 한 편을 꼭 보여드리고 싶다는 생각은 잊지 않고 있으나 '뜻을 이룰 수 있을까?' 의문이다.

선생님 언젠가 다시 한번 글 한 편 들고 찾아가겠습니다.

혼자서 다부진 결심도 해본다.

'뜻을 이룰 수 있을까?' 의문스럽다.

1995년 10월

'

7 실버대학

2015년 2월 25일 달서 복지관 실버대학 입학식 날이다. 나는 인문학 강좌에 등록하였다.

굶주린 나에게도 배움의 기회가 주어진다는 부푼 가슴을 앉고 입학식에 참여하니 많은 실버 학생들이 참여하여 4개 반으로 편성이 되었다.

입학식은 윤국 관장님의 인사 말씀과 축사에 이어 4과목의 강사 선생님들 소개를 끝으로 관장님은 식장을 나가시고 담당 과목의 강사님 네 분은 과목별로 학생들과 인사를 나누고 우리들은 헤어졌다.

3월 5일 첫 강의 날에는 복지관 윤국 관장님의 특강이 있었다. 산수의 연세인 어르신인데도 신수도 좋아 보이시고 건강해 보이신다. 강의 내용도 좋은 말씀 많이 해주시고 웃기시는 이야기도 많이 하시어 모두들 많이 웃었다. 나이와는 상관없이 낙천적으로 남을 배려하고 도우시며 사시니 건강하실 것 같다.

산수의 나이에 실버대학에 등록하면서 실버대학이지만 망설여져 뒤돌아보며 겨우 용기내어 등록을 하였다.

이 나이에 해야 하나? 말아야 하나? 주위를 들러보니 모두 6·70대들이다. 내가 제일 나이가 많아 주위 사람들이 부담스럽게 여길 수 있을 것 같아 조심스러워 스스로 주눅이 든다.

나는 청각 장애가 있어 걱정이다. 강사진들의 강의를 들으면서 새로운 용기를 가져 본다. 누가 무어라 하던 열심히 다니면서 인문학 공부를 하려고 결심하였으니, 새로운 공부에 열심히 노력하며 도전해 보련다.

새로운 도반들과 희희낙락 즐기는 하루도 즐거움이요. 함께 공부할 도반들이 있어 기쁨이니 무엇을 더 바라겠는가?

인문학 강자의 담당 교수님은 이호진 교수님의 인사 말씀과 교수님의 약력 소개로 시작하여 수업이 시작되었다. 나는 초등학교 수업 이후에 생의 처음으로 수업을 하여본다.

모든 것이 생소하며 산수를 넘겨 여러 도반들과 배운다는 기쁨과 즐거움에 설레는 마음은 아득한 옛날 초등학교에 다니던 시절로 되돌아간다.

교수님의 강의를 귀 기울여 들으며 숙제도 빠짐없이 열심히 하였다. 아마도 초등학교 졸업생은 나 혼자이며 모두가 중고등학교 대학교 졸업한 것 같아 남들에게 뒤질세라 열심히 노력하였다.

우리 11기 졸업생은 지역 문화 탐방으로 대구 계명대학교 '해소 박물관'을 견학하였으며 울진 반구대 암각화를 견학하는 영광도 누렸다.

1년이 지나 학사모를 쓰고 졸업사진도 찍었으며 졸업장도 받았다.

'행로'라는 11기 졸업 작품집도 받고 보니 배움에 한 맺힌 나에게 이제부터라도 열심히 노력하여 제2의 인생을 살아보려고 굳은 결심을 다부지게 하여본다.

8 어머니 기제사

2020년 1월 31일 음력으로 1월 7일이 친정 어머님의 기제사에 서울에서 살고 있는 두 자매가 온다기에 나도 준비하고 친정에서 세 자매 모였다.

제사 파제 날 동생 올케들이 잡는 것도 뿌리치며 동생들을 데리고 집에 도착하였다.

아이들이 함께 있을 시에는 집도 협소하여 번거롭기도 하여 동생들을 자고 가라는 말 한마디 하지 못하고 대구를 지나치는 동생들을 역으로 바로 보내며 서운한 마음을 혼자 달래기도 하였다.

금년에는 혼자 거처하다 보니 자고 가라고 붙잡아 세 자매 하하호호 즐겁게 노닥거리며 즐거웠다.

원래에는 네 자매이나 셋째가 산수를 넘긴 언니 둘을 앞 질러 저세상으로 먼저 가버렸다.

다른 친구들 자매들 한 지역에서 살면서 매주 만나 노닥거리는 모습을 부러워하다 이번 처음 동생들을 챙겨주는 언니가 되었다는 마음이 즐거운 기쁨이었다.

앞으로도 몇 번 더 이러한 기회가 있었으면 좋겠다.

미수가 가까워지다 보니 괜히 마음이 약해지며 조바심이 생긴다.

서로 가까이 살면 자주 만날 수 있으련만 두 자매는 서울에서 살고 있으며 나 홀로 대구에서 살고 있으니 외로움에 서글프기도 하다.

옛날 자랄 때 팔 남매가 북적거리던 그 시절에는 부모님은 언제나 뒷전으로 물러나 계시고 짝궁이 맞아 부대낄 일이 없었다.

부모님 떠나시고 셋째 떠난 지도 7~8년이 지난듯하며 다섯째가 동작동에 잠든 지도 어언 50여 년이 지났으며 이제는 기억조차 흐려 이승을 떠난 날짜조차 잊고 지난다.

삼 형제 남동생들이 세 누나를 챙겨주는 고마운 마음과 올케들의 자상한 보살핌과 인정에 고마움을 따뜻한 답례에 말 한마디도 제대로 하지 못하고 돌아와서 미안한 마음을 전하지 못함이 아쉬움이다. 이제는 두려운 마음만 앞서니 시간이 가는 것이 애석할 뿐이다.

　금년에는 코로나로 인해 대구에서 제일 먼저 병이 확정되어 전염이 가파르게 되어 좀 더 쉬어가라고 잡기도 조심스럽다. 나의 청각 장애로 전화 연락도 서로 노닥거리지 못하여 안부 전화도 자주 할 수가 없어 허전하다.

　'멀리 있는 형제자매는 이웃사촌보다 못 하더라.' 라는 속설이 괜히 있는 것이 아니구나.

2020년 2월 3일

9 어머니! 우리 어머니!

어머니 그 오랜 세월 마음고생이 얼마나 힘이 드셨습니까?

이 여식 어머니의 가슴 쓰린 세월 전연 모르고 살다 제가 결혼하여 자식을 두고서야 알게 되었습니다. 주위에서 모두들 우리 가족을 부러워하고 아버지는 인자하시고 따뜻한 분으로 칭찬을 하시며 존경스러운 분으로 우리들도 단 한 번 꾸지람을 들어 보지 않아 항상 자애로운 표정으로 우리들을 대해 주셨다.

술을 전연 못하시는 아버지께서는 저녁마다 벼 짚으로 멍석 같은 가재 도구를 만드시며 딸들을 앞에 앉게 하시고 옛날 역사 이야기 위인들의 이야기를 하시며 우리들에게 윤리도덕을 가르쳐 주시며 언제나 딸들을 앞에 앉게 하여 가재도구를 만드시며 살갑게 대해 주시어 우리 자매들은 항상 아버지 앞에서는 마음 끝 웃으며 조잘대며 장난을 쳐도 꾸지람 한번 들어보지 않았다. 지루한 일을 딸들과 함께 보내는 시간을 즐기시며 일을 하셨다.

그러니 어머니가 홀로 가슴 앓이 하는 것을 나는 전연 모르고 있었다. 외할머니가 우리 집에 자주 오시지 않는 이유와 오셔도 언제나 식사 한 끼 아니하시고 뒤돌아 가시며 하시는 말씀을 나는 어려서 무슨 말씀인지 이해가 되지 않는 소리를 하시는 것을 이상히 생각하였다.

외할머니의 말씀은 "너 거 애비는 가시나들만 줄줄이 앞에 앉혀 놓고, 뭐가 좋아서 웃으면서 밥을 먹나." 하시며 뒤돌아 나가신다. 외할머니 입장에서는 당신의 딸이 아들 없이 딸만 여섯을 두었으니 사위 보기 민망해서 볼 일이 있어 오셨다가도 사위가 있으면 집에 들어오지 않으시고 뒤돌아 가신다.

어머니는 여주 이씨 원종가 집에 5대까지 딸 없는 아들만 둔 종가에 6대의 종손으로 태어나 당신은 딸만 여섯이나 두었으니 가부장 시대에 시부모님과 남편에게 죄책감에 남몰래 가슴앓이를 하셨든 거 같았다.

세 번째로 득남을 하였으나 백일 전에 폐렴으로 먼저 보내고도 아버지는 내색을 아니 하시고, 저녁에는 딸들을 앞에 앉혀두고 살갑게 대해 주셨다.

　그러나 어머니는 자격지심으로 그렇게 스스로 죄인처럼 숨죽여 사셨던 것 같다.

　그 후로 딸 둘을 앞세우고 아들을 4명을 낳아 아들 딸 8남매 부모님 슬하에서 다복하게 자랐다.

　내가 결혼하여 아이를 낳고 한 달 후에 외손주 보러 오시어 하는 말씀이 혹시나 딸이면 어쩌나 마음을 졸였다고 하시며 어미 닮지 않아 고맙다고 말씀하신다.

　얼마나 마음을 졸였으면 그러실까? 인류의 성별을 구분함은 인력으로 할 수 없는 것을 오랜 세월 홀로 가슴앓이를 하신 우리 어머니!

　그 오랜 세월 홀로 가슴조리며 살아오신 어머니의 세월을 나는 전연 모르고 살았다. 어머니의 아픈 가슴을 헤아리지 못한 여식으로 죄스러울 뿐이다.

　아버지께서는 언제나 나 어려서 집안 살림을 도맡아 하는 큰딸이 안쓰러워 내가 하는 일을 도와주시나 어머니는 항상 아들이 우선이셨다.

　큰동생 대구농고 졸업하고 덕곡면 면서기로 발령받아 6개월 공무원 생활하다 자원입대하여 홍천에서 군 생활하다 첫 휴가 편지를 받았다. 이틀 후면 동생이 휴가 온다는 즐거움에 온 식구가 들떠있는 와중에 온다는 사람은 오지 않으며 그날 전사 통지서가 도착하였다. 부모님의 처절한 심정은 곁에서 보기가 힘들었다.

　동작동 국립묘지에 안치하고 돌아온 어머니는 그날로 고령 관음사 절에 공양주로 가시어 어수선한 생활이 사 년 가까이 되다 보니 참고 계시던 아버지께서 일침을 놓으셨다고 하셨다.

　"눈 앞에 없는 자식 그만 챙기고 앞에 있는 자식들 가슴 아프게 하지 말아야지."하는 소리에 정신이 들더라며 집으로 돌아오셨다. 아들이 우선이 되어 마음 고생을 하신 우리 어머님!

그 이후로는 나라에 바친 아들 생각을 접었는지 가슴에 묻어두었는지 큰아들에 대한 이야기는 입 밖에 내시지 않으시고 삼형제 아들 효성에 감사하며 97세에 천수를 마감하신 우리 어머님! 지성으로 공들여 얻은 자식 나라에 바쳐 홀로 가슴앓이하신 우리 어머니! 불효한 이 여식은 어머니의 아픈 가슴 헤아리지 못함을 용서하소서. 어머니! 우리 어머니!

10 인연

사람이 살다가 좋은 인연을 만난다는 것은, 행복한 운명일 것이다. 백발이 무성하도록 세상에 태어나서 내가 무엇을 하였던가? 서글픈 마음에 여기저기 기웃거리다 성서도서관 수필 반, 김경숙 선생님을 만나 나의 꿈을 실현하는 계기가 되었다.

나이로 보면 딸 같은 선생님은 백발에 할미인 나에게 어색함 없이 젊은이들처럼 대하시며, 용기와 격려를 아끼지 않아 내가 부담 없이 다가설 수가 있었다.

수필이 무엇인지도 모르고 글을 쓴다기에 겁 없이 젊은이들 틈에 끼여 강의를 들었다. 전생에 어떤 인연이 있어서인지 마음가짐이나 행동 같은 것이 나와 닮은 점이 아주 많았다. 화초 가꾸기 궁금함을 못 참고 의문이 사라질 때까지 파헤치는 성격까지 비슷하다. 무심결에 혼자 생각한 단어나 그림을 머릿속에서 그려보면 다음 날 강의 시간에 단어나 이야기가 나온다.

텔레파시가 통한 것인가? 생각하면 할수록 의문이 들기도 한다.

20년이란 나이 차이에도 비슷한 점이 많아 더 호감이 가며 정이 많은 딸 같은 선생님이다. 계속 다니고 싶으나 거리가 너무 멀며 앞으로 날씨도 추워진다며 자식들의 걱정이 심하여 내가 한보 양보하여 수필 반을 그만두게 되었다.

배우며 다니는 것에 낙을 삼는 즐거움을 그만두니 우울한 마음 달래기 힘들어 조금 가까운 달서 복지관 도서관을 찾아다니던 중 거기서 또 한 분의 인연을 만났다.

내가 인복이 많은 것인지 생명 부지인 초등학교 교장으로 정년 퇴임하신 권복술 선생님을 달서 노인복지관 도서관에서 우연히 만나게 되어 권 선생님의 도움으로 또 한 번의 인연으로 한 비문학 문예 교실을 알게 되어 등록하여 김원중 문학박사 시인님과 김영태 시인님을 만나 꼼꼼한 가르침에 소녀 시절의 문학에 꿈을 생각하며 열심히 강독하며 독서를 즐기며 쓰기 공부도 하며 시간을 즐긴다.

노년에 지루한 시간을 책을 읽으며 글을 쓰는 즐거움이 있어 하루해가 짧다.

아무런 연고도 없는 4분의 선생님을 만나 빛을 보게 된 인연에 감사하며 저무는 황혼에 좋은 인연 만나 소녀 시절의 꿈과 소망을 이루고 즐거움까지 덤으로 얻었으니 더 이상 욕심을 내지 않을 것이다.

다시 한번 4분 선생님께 머리 숙여 감사를 드립니다.

2016년 11월 25일 한비문학 등록

11 친절한 기사님

윤리 도덕이 땅에 떨어진 이 시대에도 인간미가 넘치는 분이 있으니 그래도 살맛 나는 세상인 것 같다. 남도 버스 706번 기사님 김상철님 존경합니다. 나는 노인 복지관에 다니는 늙은이라 706번 버스를 종종 애용하고 있다. 도원동 6단지 앞 버스에 올라타니 기사님께서 정중하게 "어서 오십시오." 하며 인사를 하신다. 얼떨결에 "네" 하고 답은 하였으나 기사님이 들었는지 못 들었는지는 몰라도 내 마음은 차분해진다. 자리에 앉으며 기사님 뒤에 붙어있는 글귀를 읽었다.

오늘의 명언이라고 쓰여 있다. 명언은 펄 벅의 "희망 없이 빵을 먹는 것은 천천히 굶어 죽는 것이다."

그날은 비도 부실부실 내리고 있었다. 차에 오르니 전처럼 정중하게 인사를 하기에 "또 만나네요." 하고 인사를 주고받았다. 그날도 기사님 뒤에 명언이 붙어있으나 비가 와 손님이 많아 명언은 읽어 볼 수가 없었으며 차는 달서구청 앞에 도착하여 어린 소녀 중학생 2명이 차에 오르니 "어서 오십시오." 하며 두 번을 경어로 인사를 한다. 정말 인상적인 장면이다.

두 학생이 상인역에서 내리니 이번에도 정중하게 "안녕히 가세요."를 두 번이나 인사를 한다. 나는 차 안을 둘러보며 기사님 이름과 회사 이름을 보며 기억하고 갔으나 집에 도착하여 바쁜 일을 하다 적어두지 않아 며칠 지나 생각하니 기사님 이름밖에 기억이 나지 않아 잊고 있었다. 그렇게 잊고 있다가 오늘 다시 만났다.

인정도 메마르고 도덕도 없어졌다고 생각했으나 아직도 우리 주위에는 아름답고 존경스러운 분을 만날 수가 있어 비관적인 세상이 아니란 생각이 들어 마음이 한결 가벼워진다.

아직은 그래도 살만한 세상이라 다행이라 여겨진다.

오늘은 필기도구를 지참하였으니 기사님 성함을 적었으니 며칠 내로 글 한 편을 써볼 작정이다. 기사님 가정에 무궁한 발전 있으시고 대박 나시기 바랍니다.

남도 버스 김상철 기사님! 가정에 무궁한 발전과 영광 있으시길 바랍니다. 파이팅!!!

2015년 7월

12 해인사 여행 1

오래전 이야기다. 20살 가닥 머리 아가씨 적에 부모님 몰래 친구들과 해인사 여행을 하였다.

아가씨들 6명이 쾌청한 봄날 대구에서 오는 아침 첫 버스에 우리들은 버스에 오를 수 있었다.

나는 아버지로부터 전해 들은 해인사에 관한 여러 가지 이야기가 흥미로워 꼭 한번 해인사에 가서 내 눈으로 확인을 해보고 싶었다.

팔만대장경에 관한 이야기는 대장경 경판이 팔만 장이며, 한 판에 같은 글자가 없다는 것. 대장 경각에는 생명이 있는 미물이나 날짐승들이 부처님의 영험으로 들어가지 못한다는 것. 사명대사의 비석 이야기, 임진왜란에 사명대사의 전공을 없애기 위해 친일 주지와 합천 경찰서장이 함마로 내리치니, 하늘에서 천둥 번개가 내려 부수지 못하고 열십자로 금이 나 있다는, 이야기를 들어 정말인지 내 눈으로 꼭 확인을 하고 싶었다.

해인사에 도착하니, 차는 홍도 여관 앞에서 하차하여 여관 옆에 연못에 푸른 하늘이 하얀 구름이 한두 점 떠 가야산 정상과 함께 연못에 깊이 잠겨 일렁이고 있었다. 우리 아가씨 6명은 연못을 내려다보며 황홀함에 취해 모두 일어설 생각을 하지 않는다.

나는 친구들을 독촉하여 일주문으로 향한다. 일주문 앞에 우람한 고목 나무는 몇백 년이 지난 나무인지 오랜 세월에 잎과 나뭇가지는 고목이 되어 없어지고 몸통만 일주문 앞에 우람하게 좌우로 양쪽으로 두 그루가 당당하게 서 있다.

우리들은 큰 스님들 비석이 있는 곳을 찾아가서 사명대사의 비석을 찾아보니, 정말로 열십자로 비석이 삼등분으로 금이 나 있다.

정말로 놀라웠다. 아버지의 말씀대로였다. 친구들은 아무것도 볼품없는 곳에 왔다며 투덜거린다. 나는 친구들에게 아버지에게 들은 대로 설명하였더니 그제야 놀라며 해인사의 역사를 알기 위해 눈여겨보려고 한다.

큰 스님들의 조화로 부처님의 신력을 믿지 않을 수가 없었다. 경내를 둘러보며, 홍제암에 대해 경허 큰 스님에 관한 이야기를 한 것 같은데 잘 기억이 떠오르지 않는다.

마지막으로 장경각에 도착하니, 스님 한 분이 관광객들에게 설명을 하고 있었다. 장경각 앞에 오르니, 놀라움에 할 말을 잃었다,

팔만 장이란 경판과 어려운 한자를 손으로 목판에 새겼으며, 한판에 같은 글자가 없다는 것을 알았으며, 깨끗한 실내 환경에 미물과 날짐승들이, 들어가지 못한다는 것을 보았다.

아버지의 이야기는 허풍이 아닌 현실이 눈앞에 부닿치고 보니 아둔한 나로서는 상상이 되지 않는다.

장경각은 황토 벽을 바른 벽에 창틀은 칸칸이 있으나 창문이 없다. 정말 놀랍다. 창문이 없는 이곳에 어찌하여 미물과 날짐승이 들어가지 못하며 오랜 세월에 경판이 상하지 않으며 원형이 그대로 보전되어 있다는 사실에 놀라움에 부처님의 영험과 큰스님들에 신통력에 탄복하지 않을 수가 없다.

운송과정도 강화도에서 바다를 건너서 남자들은 지게에 지고 부녀자들은 머리에 이고 가야 하는 힘든 노역을 해인사까지 걸어서 산을 넘고 강을 건너야만 하였으며, 길도 험난하였을 것이라 생각하니, 우리 선조들의 인내심과 근면성에 나라 사랑에 단합된 정신적인 충절에 고개가 절로 숙여진다.

온 나라 백성이 하나가 되어, 이룬 대역사에 우리 선조들의 우울성에 머리 숙여 존경하며 끈질긴 인내심을 우러러보며 열심히 노력하며 배워야겠다는 생각을 하게 된다.

마지막으로 고운 최치원 선생님이 집고 다니던 지팡이를 당나라로 가시기 전, 땅에 꽂으시며, "이 지팡이가 살면은 내가 살

아 있을 것이며, 죽으면 내가 죽은 줄 알아라." 하시며 꽂아둔 지팡이가 천사백여 년이 지난 세월에도 지금 무성한 잎을 달고, 장대하게 서서 우리들을 맞아준다. 경내를 돌아다니며 관광하며 다니느라 3시가 넘도록 배고픔도 잊고 다녔다.

돌아오는 막차에 올라타며 누군지 우리 점심도 못 먹었다. 하여 깔깔거리며 배고픔도 잊고 하루를 즐겼다.

6명의 아가씨들이 겁 없이 버스를 타고 어른들 몰래 하루 관광을 즐기는 희열을 느끼며 국민학교에 다니며 배우지 못한 역사 공부를 부모님 몰래 여행 와서 배웠다며 희희낙락 하였다.

우리들은 6학년이 되면 경주로 수학여행을 간다는 기대의 꿈은 6.25 사변으로 인해 허망하게 무너져버렸으나 해인사 여행으로 우리 친구들은 모이면 해인사 이야기를 끄집어낸다.

여행이란 기쁘고 즐거운 배움이며 좋은 추억이었다.

그때 그 시절을 잊을 수 없는 옛 추억을 더듬어 보며 이 글을 쓴다.

12 해인사 여행 2

  삼복더위 찌는 듯 따가운 해

  햇살도 달리는 차 안까지는 범접을 못하나 보다

  푸른 숲속으로 차는 신나게 달린다. 고령에서 출발하여 해인사까지는 잠깐이다.

  큰동생은 수시로 다니는 길이라 내비게이션의 가르침을 받지 않고 작은 동생은 부산에서 살다 왔으니 내비게이션의 지시를 따라 길을 나섰다. 나는 큰동생 차에 탔다. 야로로 가야 할 차선을 지나 직진을 하여 거창 가조 쪽으로 가게 되었다 나는 30여 년 만에 가는 길이라 동생에게 언제 터널이 생겼나 물으니 길을 잘못 들었다고 한다.

  터널이 야로 1.2터널 가야 1.2.3. 터널 가조 터널 자그마치 6개의 터널이다. 뒤돌아보아도 뒤차는 따라오지를 않는다. 가조 인터체인지에서 유턴하여 다시 야로로 가야 했다. 휴대폰 벨이 울린다. 형님 우리 일주문 앞에까지 왔으나 형님 차가 보이지 않으니 어디에 계시냐며 묻는다. 홍제암 들어가는 입구 주차장에 있으라며 답한다.

  뒤따라오던 동생은 형 차를 놓쳐 내비게이션의 안내로 해인사 입구에서 형 차를 찾고 있는 중이다.

나는 길을 잘 못찾던 동생 덕에 터널 구경을 잘했다. 터널 이음새 사이로 볼 수 있는 창밖 그림은 운무에 가려 산 정상과 산천 구경을 볼 수가 없으며 도로 옆 마을들은 까마득히 아래에 있어 창밖을 보려니 현기증이 난다. 터널이 얼마나 높으면 마을들이 까마득히 아래에 있느냐며 동생에게 물으니 농 잘하는 동생은 "지금 하늘 밑에서 차가 달리고 있다라고 생각하면 된다." 하며 허허 치며 웃는다.

  가야 2 터널은 쉼터 출구가 4번 출구까지 있다. 나는 놀랍다기보다 경이로웠다. 먼 거리를 높은 산을 뚫어 고속도로를 만들

었으니 감탄사가 절로 난다. 동생이 "큰 누님 미안합니다." 하기에 나의 대답은

"아니다. 내 생전에 거창 가조까지 갈 일이 없을 걸 자네가 선수를 쳐 거창 가조까지 긴 터널 구경시켜주어서 고맙다." 하여 차 안에서 한바탕 웃었다.

해인사 일주문을 지나 기다리는 동생들과 만나 함께 대웅전과 장경각만 들렀다. 개울가로 가기로 약속을 하여 대웅전으로 향해 간다. 어디를 가나 관광객은 북적거린다. 내가 해인사 걸음은 이번이 마지막이 되지 않을까 생각하여 힘겨워도 대웅전 참배는 꼭 하여야겠기에 지팡이를 준비하였다.

두 발로 오르려니 힘들어 세 발로 오르니 동생 둘이 계속 옆에 붙어 다녀 신경이 쓰여 이예 지팡이도 버리고 네발로 기어 올라갔다. 다행히 사시 맞이 염불 소리 들으며 삼배만 올렸다.

모처럼 법고 소리 범 종소리를 들으며 장경각을 들러 내려와 점심을 먹은 후 개울물에 발을 담가 희희낙락 어린이들 마냥 즐겁게 오 남매가 하루를 즐겼다 돌아오는 길은 울창한 아름드리 나무가 하늘을 가리며 푸른 숲길을 내려오며 길상사 주차장에 차를 세우며 길상사를 올려다 보니 현기증이 난다.

바람은 보이지 않으며 나무 계단만 까마득하게 하늘을 찌른다. 계단이 모두 290계단이란다.

큰동생과 나는 검푸른 나무 그늘 바위에 앉아 염불 소리 바람 소리 물소리 목탁 소리 새소리에 나의 마음도 무상에 잠긴다. 말없이 눈을 감고 돌아서 앉아있으니 선경이 여긴가 싶다.

집으로 돌아오는 길에 고령 골목시장에서 미꾸라지를 구하여 추어탕으로 파티를 하고 후회 없는 여름 피서를 하였다. 일주일이 후딱 가버렸다.

내년에도 이러한 즐거움이 있을는지 모르겠다.

한 가지 아쉬움은 막내가 장모님이 병환 중이라 함께 하지 못한 것이 아쉽고 서운하였다.   1996년 8월

12 해인사 여행 3

부산에서 살던 넷째 연자가 삼 년 전에 제부를 사별하고 자녀들 삼 남매 직장 가까이로 떠난 후 홀로 부산에서 셋째 민자와 부산에서 두 자매 가까이 의지하고 살다가 당뇨로 고생하던 셋째가 저세상으로 떠나고 나서 서울 딸 곁으로 이사를 가더니 나에게 모처럼 전화가 왔다.

서울에는 둘째 순옥이가 살고 있어 서로 왕래를 하며 큰언니 건강할 때 세 자매 가까운 곳이라도 여행 한번 다녀오자며 의논하여 목적지를 고령으로 정했다며 내일 작은언니와 함께 대구에 도착하니 고령 갈 준비를 하고 있으라는 전화였다.

부산에서 살던 다섯째 근태가 고령 운수면 학산 산골에 귀농을 하여 집을 지었다기에 세 자매 모여 찾아갔다. 큰동생 성태와 막내 용팔이까지 누나들이 왔다는 소식에 달려왔다.

2박 3일로 예정하고 고령 관광지를 둘러보기 위해 육 남매의 즐거운 모임은 하하 호호 웃으며 즐기다 보니 삼일이 금방 지나가 버렸다. 각자 짐을 챙기려니 밭에 나갔던 근태가 들어오며 모두들 뭐 하느냐며 짐들을 뺐으며 여름휴가를 왔으면 산 개울물에 발이라도 한번 담가 보아야지 이렇게는 보낼 수 없다며 빨리 차에 오르라고 재촉한다.

"어디 가려고 빨리 차를 타라고 성화냐?" 하고 내가 물었더니 읍에서

"형님이 누님들 빨리 모시고 오라고 전화가 와서요. 해인사 간다나요?" 라고 전한다. 읍에 큰동생은 차 운전석에 앉아 대기하고 기다리고 있다가 우리가 도착하니 차 창문을 내리며

"큰 누님만 내려 내 차에 타시고 작은 누님들은 앉아 계셔도 됩니다. 출발합니다." 내가 내려 큰동생 차 운전석 옆에 오르니 먼저 출발을 한다. 동생들이 가자는 대로 하자는 대로 따라다니다 보니 마지막 행선지가 해인사 관광이었다.

큰동생은 문명의 기계인 내비게이션 지시를 사양을 하고, 작은동생은 부산에서 살다가 와서 길이 낯설어 문명의 기기에 의지하여 출발하였다.

삼복더위 찌는 듯 따가운 햇볕도 에어컨 빵빵 튼 차 안까지는 범접을 못하나 보다. 고령서 해인사까지는 차로 약 40분의 거리다. 운전석에 앉아 운전하든 동생이 아차 하며 소리친다.

"왜 그래?" 하며 내가 물어본다.

"야로로 가야 할 차선을 지나 직진을 하였습니다. 거창 가조 쪽으로 지금 가고 있으니 가조 인터체인지에서 뉴턴 하여 야로로 가야 합니다."

"옛날 5~60년 전에 2번 가 보았는데..." 길이 예전과 많이 다른 것 같아 물어보려던 참이었다.

"길을 잘못 들었습니다. 야로를 지나쳐 버려 직진을 하였습니다."

터널이 야로 1.2터널 가야 1.2.3터널 가조 터널 6개의 터널이다. 가야 2 터널은 길이가 얼마나 긴지 쉼터가 4개가 있었다. 가조 인터체인지에서 뒤돌아 다시 야로로 가야 했다. 휴대폰 벨이 울린다.

"형님! 우리 일주문 앞에 와서 형님 차가 보이지 않아 찾을 수 없으니 어디로 갈까요?" 하며 묻는다.

"홍제암 주차장에서 기다리라." 라며 대답한다.

뒤따라오던 동생은 형 차를 놓쳐 문명의 기계 지시대로 해인사 입구에서 형 차를 찾고 있으나 형 차가 보이지 않아 전화를 하는 중이다.

나는 길을 잘못 든 동생 덕에 터널 구경을 잘했다. 터널 이음새 사이로 볼 수 있는 산천 구경은 운무에 가려 가야산 정상은 보이지 않으며 도로 옆 마을도 보이지 않으나 도로가 옛날보다 많이 높다는 생각에 물어보려던 참이었다.

창문 밖을 내다보니 마을들은 까마득히 아래에 있어 현기증이 난다.

도로가 얼마나 높으면 마을들이 까마득히 아래에 있을까. 정말 놀랍다.

나는 우리나라의 토목 기술에 놀랍기만 할 뿐이다. 큰동생이 미안해하며 "큰 누님 미안합니다." 하기에 나의 대답은 "아니다. 자네의 선견지명으로 거창 가조까지 내 생에 가 볼 일이 없을 것을 자네 덕택에 터널 구경 잘하였네."

차 안에 함께 있든 올케들의 웃음소리로 한바탕 웃음꽃이 피었다. 해인사 일주문을 지나 기다리는 동생들과 만나 대웅전으로 향한다.

해인사 걸음도 앞으로 내 생에 다시없을 것 같아 대웅전 참배는 꼭 해야겠기에 지팡이를 구해 세발로 계단을 오르니 위험해 보였든지 두 동생이 양옆으로 붙어 서기에 부담스러워 지팡이는 버리고 네발로 기어서 올라갔다.

대웅전 계단은 옛날 돌계단이라 높아 내 발을 떼기가 힘들었다. 마침 사시 마지막 공양 시간이라 참배를 할 수 있어 감사하며 아픈 허리를 숙여 삼배만 올렸다.

모처럼 법고소리 범종소리 들을 수 있어 행운에 감사하며 장경각은 예나 지금이나 별로 달라진 것 같지 않다. 팔만대장경은 볼 때마다 감탄스럽다. 우리 선조들에 지혜와 근면성에 고개가 절로 숙여진다.

장경각을 들어 내려오며 고운 최치원 선생님이 집고 다니던 지팡이를 당나라로 유학길에 떠나며 여기 이 땅에 꽂으며

"이 나무가 살면 내가 살아 있을 것이며 죽으면 내가 죽었다고 알아라". 하며 꽂아둔 지팡이가 천사백여 년이 지난 세월에도 우람하게 높이 자라 청록색의 푸른 잎을 무수히 달고 서있어 관광객들에게 그늘을 만들어 주어 잠시 땀을 훔치며 쉬어가게 해준다. 지금도 웅장한 푸르름으로 기세 좋게 서있어 보는 사람으로 하여 감탄사를 자아내게 한다.

우리 남매는 거목 아래에서 서 아버지로부터 들은 설화를 한 마디씩 입에 올리며 서서 땀을 식히며 내려와 식당에 들러 식사를 마치고 식당 뒤에 가야산 맑은 옥수에 발을 담그며 바위에 앉으니 내가 신선인 양 무아지경에 빠져든다.

동생들은 호호 하하 호호 하하 물장구치며 어린아이들처럼 즐기며 야단법석이다. 함께 자랄 때 팔 남매 중 셋째 여동생이 산수를 넘긴 언니 둘을 앞서 이승을 하직하고 떠나버렸다. 남동생 4형제는 어려 누나 4자매에게 매달려 도와 달라며 응석 부리던 어린아이들이 큰동생 다섯째는 동작동 국립묘지에 잠들어 있으며, 여섯째의 나이가 벌써 이순도 훌쩍 넘긴 중반도 지나 3·4년이면 고희를 맞이한다.

일주문을 돌아내려오는 길은 울창한 아름드리나무가 하늘을 가리며 푸른 숲길을 굽이돌아 내려오다. 길상사 주차장에 차를 세우고 차에서 내려 가람을 올려보니 바람은 보이지 않고 나무 계단만 까마득히 하늘을 찌른다.

쫑긋쫑긋 솟은 바위들은 어디로 숨어버려 푸른 숲으로 가려 가야산 주령은 짙푸른 녹색만이 일색이다.

나는 290계단 오를 용기가 없어 그만두고 가람 향해 합장 배례한 후 개울가 바위에 앉아 목탁 소리 염불 소리 바람 소리 물소리 새소리를 들으며 무상에 잠긴다.

모두들 가람에서 내려오자 차에 올라 돌아오는 길에 고령 시장에 들러 미꾸라지를 구하여 추어탕 파티로 행복한 즐거움은 일주일이 금방 지났다.

나이 많은 누나들을 데리고 다니며 구경시키랴. 맛난 음식 사서 먹이랴 챙기는 동생들이 너무도 고마웠다. 한 가지 아쉬움은 1년 전에 먼저 간 셋째가 함께하지 못한 서운함은 아직 남아있다. 삼 형제 동생들과 올케들에 따뜻한 정에 우리 세 자매 마음껏 올해 여름휴가를 즐겼다.

핏줄이란 이런 것인가? 일주일간 부대끼며 모여 놀았건만 헤어질 때는 아쉬움만 남겨 자꾸만 뒤돌아보게 한다.

1997년 8월 10일

13 큰 언니

큰 언니는 나와는 8살 차이가 난다. 맏이로서의 자질을 타고 난 사람처럼 의무와 책임을 거부하지 않았다. 두 번의 전쟁으로 모두가 가난한 시절이었다. 아버지는 농사일에도 버거웠고 엄마는 필요한 돈을 벌기 위해 이웃 아주머니와 함께 보부 장사를 나서고 큰 언니가 집안 살림을 맡아 해야 했다. 가난한 집에 7 남매 맏이로서의 큰 언니의 삶의 무게는 자신이 살아온 19세의 몸무게보다 더 무거웠을 것이다. 그 무게로부터 자신에게 있는 욕망 같은 것은 억누르거나 드러내지 않으려고 애쓰며 견뎠을 것이다. 학교에서는 언니의 자질을 뛰어나다는 것을 알고 진학을 권해오지만 많은 동생을 보면서 자신의 꿈은 마음 안으로 꾹꾹 눌러 담아야 했다.

동생들을 돌보며 살림을 맡아 살아오면서 틈틈이 자수를 놓아 용돈을 벌어 동생들의 학용품을 사주던 일은 지금도 잊을 수가 없다. 딸 넷에 아래로 남동생이 셋이었는데 큰 언니 결혼해서 첫 아기를 낳는 해에 엄마가 막내 남동생을 낳아 8남매가 된 것이다. 큰 언니는 엄마처럼 비가 오면 학교 간 동생을 걱정하고 식구들의 먹거리를 챙겨주는 모든 사랑을 가족들에게 베풀어 주던 생각이 난다.

큰언니 21살에 결혼을 했다. 결혼 일년 만에 형부가 군대에 입대했다. 시집에서 일 년 동안의 삶은 언니가 소망하는 삶이 아니었다. 또 다른 삶을 찾아서 대구로 갔다. 어린 아들과 둘이서 한복 만드는 집에 취직했다. 큰언니의 궁핍한 생활은 몇 년이 흐른 후 조카가 셋이나 태어나고 안정되는가 했더니 형부의 무분별한 생활로 많은 빚 더미 속에서 또 허둥대야 했다. 그때도 큰 언니의 무던한 노력과 인내로 삼 남매의 진학과 장래를 책임져야 하는 현실을 이겨냈어야 했다. 언니에게는 아직도 끝나지 않은 시련과 고생이 자신이 감당해야 하는 운명이라고 고스란히 받아들여야만 했다.

큰 언니는 자신의 삶이 언제까지 고달프게 이어가야 하는지... 엄마의 위치와 도의적 책임은 자신을 옭아매었을 것이다. 그렇게 견디었을 것이다. 형부 72세에 돌아가시고 일 년 빚 청산하고 홀가분한 마음으로 딸 집에서 외손자 키워주는 재미로 삼사 년을 살았다. 그 순간만큼은 자유로웠을 것이다. 서울에서의 생활은 책도 많이 보고 미술관으로 문화센터로 내면세계에 서정을 담았나 보다. 사람은 누구나 혼자 있을 때가 자신을 돌아볼 기회가 되는 것이다. 80 평생 자신의 마음속에 담아놓았든 꿈들을 끄집어 내어보게 된 것이다.

질곡 많은 세상을 사는 동안 쌓여놓았든 문학의 꿈을 이제는 펼쳐보리라 마음먹고 글쓰기를 시작한 것이 2014년 한비 문학 시 수필 신인상, 한비 문학 대상, 수필 대상 36 대통령기 대구광역시 우수상, 미당 서정주 좋은 시 선정, 더욱 많은 수상작품이 언니의 이름으로 올려지고 있다. 일본의 시인 시바타 도요 시인은 92세에 시작하여 시인이 되었고 큰 언니는 80세에 시인이 되었다.

살아온 날들보다 길지는 않겠지만, 삶의 끝자락에서 드디어 자신의 꿈을 아름답게 펼쳐 보이는 것이다. 황혼의 노을이 더 아름답듯이, 아직도 굽은 허리를 하고 좋은 작품들을 구상하고 있는 큰 언니의 원더풀한 인생 말년을 응원하고 찬양한다. 큰 언니야말로 인간승리를 한 것이다.

6장 코로나19와 폭우 태풍, 지진
1 코로나19와 폭우 태풍

2019년 경자년 말에 중국 우환에서 찾아온 코로나19 바이러스로 대구시가 세균 전염으로 인해 신년 2020년 초부터 코로나 세균 전염으로 소용돌이 속에 두려움으로 아우성이다. 세균은 급속도로 전염이 되어 세를 확장하여 많은 감염자를 격리병원을 두었으나 코로나바이러스는 세를 더 확장하여 전국적으로 사방으로 전염되어 환자 수가 늘어만 간다.

세균은 대구에서 시작하여 세를 확장하더니 나라 전체를 휩쓸고 고통을 주며 전 세계로 나라마다 급속도로 세를 넓혀 가고 있다. 세계가 코로나로 인해 아우성 속에서 새해를 넘겼으니 사방에서 안부 전화가 걸려 온다.

시댁 쪽이나 친정 쪽이나 내가 나이가 제일 많아 염려되어 안부 전화를 하면서 외출을 삼가고 집에만 있으라고 다짐 인사를 한다. 안부 전화를 받을 때마다 울화가 치민다.

그러지 않아도 몸이 말을 듣지 않아 방에만 들어앉아 있는 늙은이가 되어 집안에만 갇혀서 살고 있거늘 위안이라고 하는 전화 소리는 섭섭하고 외로운 심기를 더 울적하게 건드린다.

창문 너머로 보이는 하늘은 티끌 한 점 없이 쾌청한 청잣빛이 눈이 부시다.

햇빛은 따사하여 청명한 봄날 방에만 있기엔 억울하여 일어서 누구를 불러낼 수도 없고 혼자서 인적 없는 어린이 놀이터에 나와 양지바른 의자에 앉아 마스크를 내리고 심호흡을 하며 사방을 한번 둘러본다.

계절은 변함없이 흘러 아파트단지 앞 양지바른 화단에 서늘한 설중매는 언제 피었다가 낙화를 하였는지 앙상한 가지만 보일 뿐 홍매는 활짝 피어 어여쁜 모습으로 반겨준다.

놀이터 가장자리에 여러 그루에 목련 나무 꽃봉오리 봉긋봉긋 입 벌릴 준비가 바쁜 듯하다. 목련꽃 피기 시작하고 개나리꽃 노란 가지 휘영청 출렁이면 나는 서울 여행길에 한·두 달 머물다 오는 편이다.

금년에는 아예 서울 걸음은 완전히 접어야만 할 것 같아 마음이 울적해진다. 1년에 서너 번씩 다니던 서울 여행이 코로나로 인해 금년 서울 나들이는 완전히 잊어야 할 것 같다.

우환에서 찾아온 세균은 천파만파로 세를 확장하여 전 세계를 휩쓸고 뻗어나가 물러설 기미를 보이지 않고 무서운 기세로 전염의 속도가 빨라 당황스럽다.

그러나 계절은 무심히 흘어 만화방창 호시절을 이루어 꽃 대궐 꽃 터널을 꽃비 흠뻑 맞으며 거닐어 보려고 집 밖을 나서 걷다 보니 '아 참! 마스크를 하지 않고 나왔네.' 누가 나를 볼세라 고개를 숙이고 허둥지둥 다시 집으로 뒤돌아와야만 했다.

마스크로 인해 허탕치다 꽃비 한번 맞아보지 못하고 금년에는 봄장마 비도 일찍 찾아와 3월부터 내리는 지루한 봄 장마는 매일 질금거려 비로 인해 속절없이 방에 갇혀 현관 문밖출입은 차단된 지도 오래다.

코로나는 나날이 주변을 확장하여 전 세계가 코로나바이러스에 점령을 당하고 있다.

금년에는 장마도 봄장마가 일찍 찾아와서 세균과 함께 고통을 주더니 설상가상으로 봄장마가 그치기도 전에 칠월 장마는 성큼 찾아와 억수 같은 장대비는 폭포처럼 쏟아 내려 부산시를 할퀴며 물난리로 아비규환을 만들어 놓았다

한 가지 재난도 극복하기 힘에 겨운데 세균과 물 폭탄으로 두 가지의 재난이 겹쳐 봇물 터지듯이 밀고 들어오니 그저 두렵기만 할 뿐이다.

이라크에서 외화벌이 간 근로자들 293명이 전세기로 전원 7월 25일 귀국한다고 한다.

인재로 인한 재해와 자연으로 인한 재해가 겹친 이 난국은 언제쯤에나 수습이 되려나?

설상가상으로 칠월 장마는 성큼 찾아와서 비는 쉼 없이 폭포수로 매일 쏟아져 내리고 나라 전체가 수해로 물바다가 되어 있다.

반년도 더 지난 시간 속에 생활이 어려움에 처한 서민들의 고통과 생활에 불편함도 괴로움으로 겹친다.

코로나바이러스는 물러갈 줄 모르고 세를 확장하여 정부에서나 의료계에서는 수칙을 지켜 달라며 호소를 하며 규칙을 정하여 단속을 하나 세균은 급속도로 빠르게 전염되어 세를 넓혀가고 전 세계 나라마다 코로나로 인해 수많은 사상자가 희생되고 있다.

장마비는 멈출 기미도 보이지 않으며 매일 쉼 없이 비는 내리고 아직도 폭포수로 쏟아지며 댐과 강마다 범람하여 나라 전체를 물바다로 만들어 많은 인명피해와 이재민들을 괴롭히고 있으며 엎친 데 덮치는 격으로 태풍 장미 5호의 시작으로 건물과 농경지를 휩쓸고 가며 재산과 생명을 앗아가 이중 삼중으로 이재민들을 괴롭히며, 태풍은 더 강한 강풍으로 변해 뒤따라 세를 넓히며 찾아와 여러 번의 태풍으로 나라 전체를 할퀴며 몰아쳐 위협을 안겨주고 있다.

높고 낮은 건물은 강풍에 가랑잎처럼 무너지고 쓰러지며 전답은 바다처럼 물에 잠겨 계속 깊어져 어느 곳이 어디인지 가늠이 되지 않는다.

미수의 나이가 가까워지도록 살면서 물난리로 소가 지붕 위에 올라가 갈 곳을 찾아 망설이는 모습을 TV에서 처음 보고 들어보았다. 자식같이 정성 들여 고이 길러온 가축이며 과실수며 농작물을 폭우와 수해로 거두지 못하고 버리고 잃게 된 농민들의 기막힌 현실을 보면서 나 역시 가슴이 아려온다.

폭우와 태풍이 뒤따라 찾아와 온 나라 전체를 산과 들을 휩쓸고 마을과 도시를 아수라장으로 할퀴고 지나간 자리 억수장마 비는 두 달여의 걸친 장대비와 봄부터 매일 내리는 장마 비가 합쳐져 매일 비는 쏟아부었건만 코로나 바이러스 세균은 씻겨가지 않았는지 더 기승을 부려 세를 학장을 하고 사람들을 공포 속으로 몰아가고 있다. 상가마다 상인들도 장사가 되지 않아 역시 힘겨운 상황이다.

문을 닫는 상가가 늘어나고 아르바이트생들은 일할 곳이 없어 생활고에 허덕이고 보기조차 안쓰러우나 아무 도움도 되어주지 못한 늙은이가 돼 한숨만 쉬며 바라보고만 있을 뿐이다.

나라에서는 국고를 지원하여 생활보조금을 지원하며 어려움을 돕고 있으며 많은 이재민과 수재민들을 위해 많은 재정과 인력을 지원하고 도움을 주고 있으나 어려움은 여전한 것 같다.

코로나 세균으로 긴 장마와 태풍으로 8개월 동안 집안에만 갇혀 살다 보니 몸은 천근만근이고 사는 것이 아니라 고통의 나날이다.

그러나 계절은 쉼 없이 흘러 천고마비의 계절로 접어들어 화창한 가을로 수해를 입지 않은 들녘은 오곡백과 탐스럽게 무르익어 영글어 가는 가을이 찾아왔다.

2020년은 신년 초부터 코로나로 시작하여 봄·여름은 코로나와 수해·태풍으로 초토화가 된 강산에도 가을은 성큼 찾아와 하늘은 높고 푸르며 수해를 입지 않은 들녘은 황금물결 출렁이며 오곡백과는 튼실하게 영그는 계절답게 사람들의 시선을 부여잡고 놓아주지 아니한다.

아직 코로나바이러스는 물러서지 않고 세를 확장하여 기승을 부리며 기세를 올리고 있으나 높고 푸른 가을 하늘은 구름 한 점 없이 맑고 청명한 청잣빛 고운 하늘을 자랑이라도 하는 듯 쾌청함을 보여준다.

산천에 오색단풍은 힘들고 어려운 고난을 견디어 낸 만큼 더욱더 아름답고 고운 색상으로 물들어 시선을 끌며 유혹한다.

TV에서는 뉴스 시간마다 거리를 두라. 소모임도 자제를 하라고 알리고 있건만 거리에 가로수나 소공원과 산천은 오색 찬연한 낙엽들은 반항이나 하는 듯 화려하게 곱기도 하여 눈을 뗄 수가 없어 현관문을 나서 한참 걷다 곁에 사람을 보고 '아 참! 마스크를 깜빡하였다.'

다시 방으로 들어가 주저앉고 외출을 포기하고 말았다. 나날이 TV만 틀고 보고 앉아 있으니 시간이 지루하며 몸은 굶터 세월이 야속할 따름이다.

나라마다 코로나바이러스로 인해 확진자의 수는 늘어나고 세균 감염에 숫자가 줄지 않고 높아만 간다.

11월 26일 뉴스에서 10월 10일 군 훈련 입소 장병 집단 신병교육대 70명 감염이란 뉴스를 보았다. 아찔한 현기증이 난다. 어찌 이런 일이 있을 수 있을까?

코로나로 인해 날이 갈수록 강력한 규제가 나오나 환자 수는 나날이 늘어나고 있다.

집단방역으로 거리 두기 모임 자제와 위생관리를 정부에서 호소하고 있으나 요양시설에까지 감염의 수위를 넓혀가고 있으니 두려워진다. 활동량이 많은 청장년층에게도 감염률이 높아간다니 두려움이 앞선다.

동장군은 성큼 찾아와 추위와 독감의 두려움이 앞서나 독감 예방 주사 맞기도 두려워진다.

날씨가 추워지니 정부에서도 격리와 단속을 강하게 하고 있으나 확진자는 나날이 늘어만. 가고 집단 감염은 수도권을 위시하여 전국적으로 확장하여 늘어나고 있으며 60여 개의 민간 의료 병상을 학보하여 산림청 공무원까지 확산하여 범위를 넓혀 가고 있다.

질병 폭우 태풍의 삼재로 인해 고통을 받은 국민들을 위해 정부에서는 도움을 주고 있으나 아직도 갈 길은 먼 것 같다. 날씨가 추워지니 코로나는 줄어들지 않으며 감염자의 수가 높아가고 있으며 병상도 부족하다고 들려온다. 전 세계가 코로나바이러스 세균으로 인해 고통을 겪고 있다.

시간마다 뉴스에서 전해주는 코로나 소식은 기저질환을 가지고 있는 이 늙은이는 두려움에 집안에만 갇혀 있을 뿐이다.

경자년 마지막 달력에 마지막 날도 며칠 남지 않아 신년 신축년 새해에는 밝고 희망찬 새해가 되었으면 하고 빌어본다.

2020년 12월

2 네팔 지진

  요즘 뉴스 시간마다 지진 피해에 대한 소식을 들을 때마다 마음이 아프다.
  많은 인명 피해와 유물들의 많은 손실이 있다니 안타깝고 가슴이 아려온다. 왜 이 같은 천재지변이 자주 일어나는지 모르겠다. 수시로 지진에 대한 뉴스를 접해도 내 생활이 바쁘다 보니 건성건성 듣고 넘겼으나 요즘은 시간이 남아도니 TV 채널을 자주 돌리다 보니 재난에 대해 자주 접하게 된다.

  오래된 옛날 내 나이 7세 8세 무렵 늦은 가을인 것 같다.
  대동아 전쟁으로 전쟁 중에 오모다시에서 살다가 우리 식구가 살던 곳이 도심에서 멀리 떨어진 산악지대로 전쟁의 폭격을 피해 피란을 간 이시가와경이라는 곳의 산촌 마을이다. 사방으로 대나무 숲이 많이 어우러진 마을이었다.
  엄마와 큰엄마는 마당에서 김장 양념을 바르고 있으며 나는 방에서 동생들과 놀고 있으니 갑자기 선반 위에 그릇들이 쏟아져 내리며 외갓집이 흔들리는 것을 느낄 수가 있었다.
  큰엄마가 "지진이다."라고 소리를 지른다. 엄마는 내 이름을 부르며 대나무 숲으로 뛰어가라며 고함을 지른다. 양념 묻은 손을 닦을 여유도 없이 들어와 동생들을 껴안으며 나보고는 대나무밭으로 빨리 가라고 악을 쓰며 소리를 지른다.
  양념 묻은 손으로 동생들을 껴안으니 동생들은 기침을 하며 울기 시작하고 김치단지는 구르다 깨어지고 빈 옹기는 박살이 나 온 집안이 김치와 양념으로 난장판으로 창문 유리는 모두 깨어져 발 디딜 곳이 없는 전쟁터로 변해 있었다.
  엄마는 기침을 하며 우는 동생들만 껴안고 나에게만 소리를 지르며 악을 쓰고 있다.
  아버지는 광산에 일하러 출근을 하고 집에 오면서 마을 입구에서 지진 피해를 아시고 달려오시며 식구들의 인명 피해가 없어 다행이라 하시며 안도의 한숨을 쉬신다.

　네팔 지진을 뉴스로 시간마다 보게 되니 내 어린 유년 시절의 지진에 경험과 태풍으로 인해 3일간 부모님과 헤어진 기억은 매스컴에서 볼 때마다 유년의 기억을 떠올리게 한다.

3 지진

　오래된 옛날 내 나이 7~8세 무렵 늦은 가을인 것으로 알고 있다.

　우리 식구들이 일본 오모다 시에서 살다가 대동아전쟁으로 인해 대도시는 폭격이 심해 이시가와 경이라는 시골 마을로 피란을 간 곳이다. 매섭게 추운 날은 아니어도 제법 쌀쌀한 날이었다. 마당에서 엄마와 큰엄마 둘이서 김장을 하고 있었다.

　나는 동생들과 방에서 놀고 있었는데. 갑자기 집이 흔들린다. 어린 나에게도 집이 흔들리는 것을 알 수가 있었다. 별안간 선반 위에 놓여 있던 그릇들이 떨어지며 와장창 떨어지며 깨어진다.

　큰엄마가 "지진이다." 소리친다.

　엄마는 양념 묻은 손으로 뛰어 들어오며 동생들을 껴안으며 나보고 대나무밭으로 뛰어가라며 고함을 지른다. 우리 집 뒤 곁에는 대나무밭이 있었다. 얼떨결에 대나무밭에 들어가 앉아 있으니 엄마는 동생들을 양념 묻은 손을 닦지도 아니하고 양념 묻은 손으로 동생들을 껴안으니 옷에 다 튕기어 아이들이 매운 냄새에 재채기를 하며 울음을 터트린다.

　그 소동 사이에 지진은 멈추고 끝이 났으나 우리 집은 전쟁터로 변한 집이 되었다. 집안은 쏟아진 그릇과 유리 창문이 깨어지고 김치 단지는 나뒹굴어 깨어지고 부서져 아수라장이고 마당에는 가득 담근 김칫독이 뒹굴다 깨어지고 배추와 양념이 마당에 널브러져 발 디딜 곳 없이 매운맛이 진동하여 아이들은 재채기를 사방에서 하며 울기 시작한다.

　대동아전쟁 중에 지진이라 이시가와경 전체가 아수라장이었다. 우리 집은 김장을 하던 중이라 더 참혹한 모습이었다. 천재지변은 인력으로서는 어찌지 못하는 일이라 속수무책으로 당하여야만 했다.

전쟁 중에 지진이라 민심도 메마른 시기였다. 다행인 것은 강진이 아니었으며 인명 피해는 있었는지 없었는지 기억이 나지 않는다.

아버지는 탄광 일 마치고 오시다가 마을 입구에서 지진의 피해를 보시고 허겁지겁 달려오시며 인명 피해가 없어 다행이라 하시며 집안을 둘러보신다.

우리 집은 김장을 하던 중이라 온 집안이 양념과 배추와 그릇들이 나뒹굴어 깨어지고 흘러넘쳐 전쟁터를 방불케 하였다. 전쟁도 참혹하지만 지진 역시 마찬가지로 무서운 재난이다.

요즘 뉴스 시간마다 네팔 지진에 대해서 지진 피해에 대한 소식을 들을 때마다 마음이 아프다. 많은 사상자와 이재민들의 모습들을 차마 눈을 뜨고 보기가 힘들다. 많은 유물들 손실도 안타까운 일이다. 왜 이 같은 재난이 자주 일어나는지 모르겠다?

어디에서 지진 소리만 들려도 어린 시절에 체험한 지진이 생각나서 그 악몽을 떠 올리게 된다.

내 나이 6~7세 무렵에 오노 다실에 태풍으로 인해 부모님과 헤어져 밤낮 삼일 만에 만났으며 8세에 지진으로 혼비백산 나는 경험을 해보는구나. 까마득한 소녀 시절에 경험담이 추억으로 떠오른다.

끝

순임씨의 이야기

초판 1쇄 발행 2024년 02월 29일

지은이_ 황순임
펴낸이_ 김동명
펴낸곳_ 도서출판 창조와 지식
인쇄처_ (주)북모아

출판등록번호_ 제2018-000027호
주소_ 서울특별시 강북구 덕릉로 144
전화_ 1644-1814
팩스_ 02-2275-8577

ISBN 979-11-6003-701-2

정가 18,000원